Gisela Greve (Hg.)
Goethe. Die Wahlverwandtschaften

GOETHE. DIE WAHLVERWANDTSCHAFTEN

Herausgegeben von
Gisela Greve

edition diskord

Die Deutsche Bibliothek – CIP-Einheitsaufnahme

Goethe. Die Wahlverwandtschaften / hrsg. von Gisela Greve. [Beitr.
von: Klaus Heinrich ...]. - Tübingen : Ed. diskord, 1999
ISBN 3-89295-669-3

Umschlaggestaltung:
Prof. Dr. Ruth Tesmar, Berlin

© 1999 edition diskord, Tübingen
Computer-Satz: Anne Schweinlin, Tübingen
Druck: Deile, Tübingen
ISBN 3-89295-669-3

Inhalt

Vorwort

In dem hier vorliegenden kleinen Sammelband wird Goethes Roman »Die Wahlverwandtschaften« von vier Autoren aus unterschiedlicher Perspektive interpretiert. Die Aufsätze sind leicht überarbeitete Beiträge eines interdisziplinären Symposions über diesen Roman, das vom Berliner Psychoanalytischen Institut – Karl-Abraham-Institut – im Oktober 1998 veranstaltet wurde. An dem berühmten klassischen Text wird beispielhaft entfaltet, wie ein dichterisches Kunstwerk von Wissenschaftlern aus verschiedenen Disziplinen heute neu gelesen werden kann: Klaus Heinrich von der Religionsphilosophie her, Inge Stephan aus literaturwissenschaftlicher Sicht, Hartmut Böhme aus der Blickrichtung des Kulturwissenschaftlers. Hermann Beland untersucht den Roman auf dem Hintergrund neuerer psychoanalytischer Theorien.

Natürlich konnte es nicht das Ziel der hier versammelten Autoren sein, eine zusammenfassende, die Disziplinen übergreifende Verständigung über diesen Roman zu erzielen. Die Aufsätze bieten jedoch Anregungen für eine Intensivierung des interdisziplinären Austausches der Psychoanalyse mit anderen Forschungsrichtungen. Sie zeigen, daß psychoanalytische Literaturanalyse aus der Kooperation mit anderen Wissenschaften Nutzen ziehen kann, so wie diese wiederum zum besseren Verständnis eines Kunstwerks nicht auf die Wahrnehmungen der Psychoanalytiker verzichten sollten, deren Studium unbewußter Vorgänge in keiner anderen Denkrichtung so zu erfassen ist. Die psychoanalytische Literaturinterpretation könnte noch stärker daran interessiert sein, die engeren Fachgrenzen zu überschreiten und bei anderen wissenschaftlichen Disziplinen Unterstützung zu suchen. Das Symposion – und damit dieser Band – wurde konzipiert, nicht nur, um den Verstehenshorizont für dieses große

Werk der Weltliteratur zu erweitern, sondern, wie gesagt, um auch eine Brücke von der Psychoanalyse zu anderen Wissenschaften zu schlagen und den Dialog mit ihnen zu fördern.

Warum aber »Die Wahlverwandtschaften«, ein Roman, der vor fast zweihundert Jahren entstand und schon von den Lesern des 19. Jahrhunderts zwiespältig aufgenommen wurde, ein Werk, das mühsam zu lesen ist? Es war nicht die ausdrückliche Intention des Symposions, Goethe zur Einleitung des bevorstehenden Goethejahres zu feiern. Auch auf eine biographische Ausdeutung des Romans wurde verzichtet. Die Autoren blieben innerhalb der Grenzen des literarischen Werks. Dieses zeigt selbst schon den Einfluß einer Disiplin auf eine andere, es zeigt gleichsam eine Synthese von Naturwissenschaft und Literatur. Der mehrdeutige Ausdruck ›Wahlverwandtschaft‹ stammt aus der Chemie des 18. Jahrhunderts, wie im 4. Kapitel des Romans erläutert wird. Doch auch ganz unabhängig von dieser Verknüpfung mit der Naturwissenschaft ahnt der Leser dieses Romans, wenn er ihn mit der Naivität des unmittelbaren Zugangs liest, daß sich unter seiner Oberfläche eines Ehe- und Liebesromans ein Abgrund auftut. Goethe selbst sagt am 6. Mai 1827 in seinen Gesprächen mit Eckermann, es stecke mehr dain, als irgend jemand bei einmaligem Lesen aufzunehmen imstande wäre. Mit seiner Vieldeutigkeit bietet dieses Werk eine besonders geeignete Möglichkeit für unterschiedliche Interpretationsansätze.

Die Autoren haben diese Vielschichtigkeit genutzt. Klaus Heinrich stellt eine Analyse der traumatischen Realität in diesem Roman vor, verknüpft mit der Frage nach der Aktualität einer derartigen Analyse. Inge Stephan untersucht die Familiendesaster in dem Roman und interessiert sich hierbei besonders für die bisher so wenig beachteten homosozialen Strukturen. Hermann Beland deutet das psychotische Symbol des doppelt ebenbildlichen Kindes als eine Verdichtung der narzißtisch projektiven Einstellungen der einzelnen dichterischen Personen. Hartmut Böhme zufolge scheitern die Protagonisten des Romans mit allen ihren Deutungen und Sinnentwürfen daran, daß Unberechenbares alle Intentionen durchkreuzt und so das Nicht-Menschliche Macht über die Menschen gewinnt, nicht zuletzt in den Formen der Magie und des Fetischismus.

Verstehen ist ein Prozeß, der oft genug auch in die Wechselseitigkeit eines Gesprächs mit anderen eingebunden ist. Die hier Versammelten demonstrierten dies in der von Thomas Macho, Kulturwissenschaftler an der Humboldt-Universität Berlin, moderierten Diskussion während des Symposions, wenn eine Frage aufgeworfen oder ein Problem zur Diskussion gestellt wurde. Der lebhafte Gedankenaustausch der Autoren miteinander und mit dem Publikum verdeutlichte überdies, daß aus unterschiedlichen Blickrichtungen doch ähnliche Fragestellungen gesehen werden können. Freilich gab es auch hier einige Schwierigkeiten, sich auf die fremde Welt der anderen Wissenschaften mit ihren divergenten Konzepten und Denkvorstellungen einzulassen. Am Ende überwog dennoch bei allen Beteiligten der Wunsch nach einer Fortsetzung dieses interdisziplinären Dialoges.

Ohne das Berliner Karl-Abraham-Institut wäre das Symposion wohl nicht zustande gekommen. Ich freue mich daher, an dieser Stelle meinen Kolleginnen und Kollegen danken zu können. Den Autoren danke ich für ihre Kooperationsbereitschaft und den zahlreichen Hörern und Diskussionsteilnehmern des Symposions für ihr großes Interesse. Mein besonderer Dank gilt Dagmar und Gerd Kimmerle für die gute Zusammenarbeit bei der Herausgabe dieses Buches.

Berlin, Januar 1999   Gisela Greve

Klaus Heinrich

»Das Bewußtsein ist keine hinlängliche Waffe«

Zur Faszination der *Wahlverwandtschaften* heute

Das ist eine ebenso ehrenvolle wie komplizierte Aufgabe für mich: ich möchte Ihnen eine Einführung in Goethes *Wahlver-wandtschaften* geben, die nicht mehr als eine Annäherung sein kann. Sie dürfen nicht von mir erwarten, daß ich Ihnen ein ebenso anmutiges wie ärgerliches, klares wie labyrinthisches Buch vorerzähle – kein Wort, kein Satz dürfte fehlen, es wäre das Buch noch einmal. Der Plot: daß ein nicht mehr junges Paar mit seinem Freund und ihrer Nichte die Partner tauscht und sie dabei an bestehenden Konventionen scheitern, hätte diesem Buch kein Leben, geschweige Nachleben beschert. Aber ich setze voraus, Sie haben das Buch selbst gelesen, und so darf ich mich darauf beschränken, einzelne Situationen herauszugreifen, an die Sie sich dann erinnern werden, sie zu verfremden (denn ohne das erkennen wir nichts, wir müssen eintauchen und Ab-stand nehmen), Ansatzpunkte zu bezeichnen für – wie soll ich sie nennen? ich unterscheide hier eigentlich nicht – philosophi-sche und psychoanalytische Fragen. Dazu muß ich auch kom-mentieren, das eine oder andere Wort deutlicher – und das heißt nichts anderes als zur ›Deutung‹ geeigneter machen. Allerdings: »Das Bewußtsein ist keine hinlängliche Waffe«, so habe ich meinen Vortrag warnend überschrieben und damit auf Wider-stände aufmerksam gemacht, die diese Waffe nicht schneiden kann. Aber das entbindet uns von der schwierigeren Aufgabe, sie zu reflektieren, nicht. Ich werde das in 8 Annäherungen versuchen, meine und auch anderer Personen Leseerfahrungen nicht aussparen, mich vor Übertreibungen nicht hüten (denn auch ohne diese könnten wir nichts erkennen) und mich so knapp wie möglich fassen bei einem bis heute nicht endenden Buch. Mein Vortrag wird ca. 55 Minuten dauern; ich beginne.

1

Als Frau Greve, die Initiatorin dieser Veranstaltung, mich vor einem Jahr bat, an einem Colloquium über Goethes *Wahlver-wandtschaften* teilzunehmen, sagte ich besinnungslos zu. Ich wollte wissen, warum ein solches Buch, das seine Leser seit seinem Erscheinen mit gemischten Gefühlen aufgenommen haben (zu modern, zu antiquiert, zu frei, zu gebunden, zu gottlos und am Schluß zu christlich) und von dem sie doch nicht lassen konnten, noch heute fasziniert. Nicht einmal das Genre dieses Werks war recht bestimmbar: eine zu einem zweiteiligen – ja was? Gesellschafts- oder doch eher Liebesroman? geweitete Novelle, die ursprünglich dem *Wilhelm Meister*, wohl in didaktischer Absicht, einverleibt werden sollte, die unter der Hand zu einem Prosa-Hauptwerk mutierte, dem im *Meister* nichts an Rigorosität zu vergleichen ist (der Autor selbst: »mein bestes Buch«) und das nun seinerseits eine abenteuerliche Novelle in sich aufgenommen hat, noch dazu eine, die den Konversationston des Romans für einen kurzen, strahlenden Augenblick in Glück verwandelt? Aber damit habe ich gleich zwei fragwürdige Stichworte genannt. In dem Roman selbst kann von Glück nicht die Rede sein, und ist es denn ein Konversationsroman, der die Gespräche der Akteure zu einem so vieldeutigen Instrument der Selbstreflexion macht, oder nicht doch eher ein Experiment mit mathematisch ausgeklügeltem Wechsel der Konfigurationen, wie sie die Oper der Aufklärung für ihre Libretti verwandte, übrigens eines, das auch den Doppel-Liebestod der romantischen Oper vorwegnimmt? Ein verstecktes, die Einheit von Ort und Zeit einforderndes Schicksalsdrama also, mit überlanger, wiewohl knisternder Exposition (Wilhelm Grimm hatte sie »über alle Begriffe langweilig« gefunden) und einem teils kolportagehaften, teils melodramatischen Schluß (und damit vielleicht auch eine Fingerübung für das zauberopernhafte Oratorienende von *Faust II*)? Aber: was daran ist modern, und was fasziniert noch heute? – Als ich Frau Greve ein Jahr später bat, mir zu erklären, warum gerade dieses Buch?, kam, zaudernd, der Verweis auf die symbolische Allgegenwart des Gartens, dieser – so dachte ich mir hinzu – frühesten Paradies- und insgeheim schon Vertreibungsmetapher. Aber dann rief sie mich noch einmal an und nannte einen Grund, der realistischer ist und eine andere Art von Zeitgenossenschaft begründet: Warum fesselt ein Buch, in dem keine der Figuren so sympathisch wird, daß sie dem Leser ungeteilte Identifikation ermöglicht? (Und auch, füge ich hinzu, der Ottilie-Kult der Spätromantiker, der sie zu einem präraffaelitischen Bild verzaubert, gilt dem ›lieblichen Engel‹ und nicht der nur so mühsam mit mädchenhaftem Inhalt aufzuladenden schweigsamen Hülse, deren Tagebuch sie zur Wiedergabe Goethescher Altersweisheiten verdammt.) Also, Sie sehen, Helden und Heldinnen, diese Identifikationsfiguren des Autors mit den männlichen und weiblichen Wunschanteilen seiner Seele, haben abgedankt, und so wird dem Leser verwehrt, was Freud als den Lustgewinn romanhaften Phantasierens konstatiert: ohne »den gewaltigen Umweg über die Außenwelt« an sein Wunschziel zu gelangen.

2

Als ich selbst die *Wahlverwandtschaften* das erste Mal las, damals noch ein neugieriges Schulkind, das auf Abenteuer aus war, verstand ich nichts; nur eins habe ich behalten und darum das Buch gleich nach Kriegsende noch einmal gelesen: die Atmosphäre der Bedrohung über dem Ganzen – Goethe gebraucht das Wort ›Bangigkeit‹ hierfür –, die in sich steigernder

Intensität Angst vor dem Weiterlesen macht. Sie werden diese Erfahrung vielleicht an sich selbst bestätigen können: je öfter Sie das Buch lesen, desto tiefer tauchen Sie in einen ungeheuer zarten, leisen Maelström ein – die Zärtlichkeit, fast Lautlosigkeit der Bewegung ist geradezu die Verlockung, trotz Todesangst weiterzulesen. Aufschub, besser Widerstand, gewährt lediglich die eingesprengte Novelle von den *Wunderlichen Nachbarskindern*, die in den Schnellen eines realen Stroms fast untergehen, aber dann, auf wundersame Weise gerettet und aus Feinden in Liebende verwandelt, bräutlich geschmückt ins Freie treten – peinlich für die Akteure unseres Romans, gerade diese Geschichte von einer der in ihre Enge hereinschneienden Figuren erzählt zu bekommen; nicht, wie vorgegeben, weil einer der Akteure selbst in sie verwickelt war, sondern weil sie die Bewegung, in die sie alle verwickelt sind, erhellend stört: das Unabwendliche der im Grund lautlosen Katastrophe offenkundig macht. So weit der Goethesche Kunstgriff. Aber er darf nicht ablenken von dem im Grunde so viel bedeutenderen, der sich dahinter verbirgt: das Buch erscheint, als sei es nicht nur von vorn nach hinten, sondern ebenso von hinten nach vorn geschrieben. Obschon das Ganze in einer rasanten komplexen Katastrophe zu enden scheint, war diese doch in Wahrheit von Anfang an präsent – ein Zustand. Und natürlich fragen wir uns, ob nicht dieser depressive Zustand selbst die Katastrophe ist. Wir sind am Ende froh, es hinter uns zu haben – und fangen gleich noch einmal an zu lesen. Goethe, der dies voraussetzt, mehrmaliges Lesen zur Bedingung eines vollen Verständnisses erklärt (was für eine Zumutung für ein novitätenlüsternes Publikum!), hat ein Vexierbild erschaffen, das Zeit außer Kraft setzt; so in der redenden Fehlleistung eines der Akteure, des penibelsten, zugleich aktivsten und neuerungssüchtigsten unter ihnen, des Vertreters eines neuen Leistungs- und Effizienzprinzips: »Da zeigte sich denn, daß der Hauptmann vergessen hatte, seine chronometrische Sekundenuhr aufzuziehen, das erste Mal seit vielen Jahren; und sie schienen, wo nicht zu empfinden, so doch zu ahnen, daß die Zeit anfange, ihnen gleichgültig zu werden.«

3

Sollte ich Ihnen den Ort der Handlung beschreiben, an dem die zwei männlichen Protagonisten, die alten Freunde Otto, genannt Eduard, und Otto der Hauptmann diese Erfahrung machen, und die Vorkommnisse, mit denen sie sich verknüpft, müßte ich ein Netz von Zufälligkeiten und Belanglosigkeiten vor Ihnen ausbreiten, die solange allesamt nichts bedeuten, als sie nicht aufgeladen werden vom Gang der Handlung – aber dieser ist ja selbst nichts anderes als das Schritt für Schritt Gewahrwerden dieses Netzes. Kein Strang ist hier herauszuziehen als der ›wirkliche‹, der Handlungsstrang. Es gibt keine Nebenhandlung. Von den Kantischen Kategorien der ›Relation‹ ist die von ›Ursache und Wirkung‹ abgemeldet (nur obsolete Figuren wie Mittler oder der Gehülfe operieren mit ihr) und allein die der ›Wechselwirkung‹ übriggeblieben – aber diese erstreckt sich auf alle zu Projektion genutzten Lokalitäten und Tätigkeiten. Wir nehmen an Gartenarbeit, Landschaftsplanung, Parkspaziergängen teil, Ist- und Sollpläne werden vor unseren Augen entworfen, ein Gartenhäuschen eingeweiht, ein Lustgebäude aufgeführt, ein Dorf gesäubert und eine Veränderung der teils idyllischen, teils wilden Teichlandschaft vorangetrieben, ganz zu schweigen von regelmäßigen Vorleseabenden, Buchführung, Hauskonzert. Aber statt daß wir uns der fortschreitenden Veredelung freuten oder Anlaß sie zu tadeln nähmen (denn sie wird, unter Anleitung des Hauptmanns, mit immer brachialeren Mitteln ins Werk gesetzt), geraten wir durch das Übermaß der Veranstaltungen und der wechselbadartigen Reaktionen der Hauptakteure auf sie (der kleinen Verstimmungen und bänglichen Erwartungen, Heimlichkeiten und Vorteilsnahmen, des beständigen Spiels mit Nah und Fern) in

15

einen abenteuerlichen Schwebezustand: einerseits sehnen wir uns nach einem Vorkommnis, das diesen Projektionszauber bricht, und befürchten es zugleich – es wäre ja das Gewahrwerden der Katastrophe –, andererseits gestehen wir uns ein, daß wir in nicht weniger als der Realität – freilich einer ganz unpolitischen, nur beschränkt ›gesellschaftlich‹ zu nennenden – versinken; gleichsam vorwegnehmend, was dann der letale Katastrophenauslöser werden wird, den Tod des Wechselbalgs im eigens dazu präparierten Teich. Was danach folgt, wird übrigens mit einer geradezu Kleistischen Unerbittlichkeit erzählt, ohne daß dies an unserem Schwebezustand auch nur das Geringste ändert. Auch die ausagierte Katastrophe – die den katastrophalen Zustand nicht beseitigt, nur verdichtet hat – löst nicht den Bann. Wogegen wurde er aufgeboten?

4

»In der Wirklichkeit, die ich hier zu schildern bemüht bin, ist die Komplikation der Motive, die Häufung und Zusammensetzung seelischer Regungen, kurz die Überdeterminierung Regel« – das ist zwar eine Beobachtung Freuds aus dem *Bruchstück einer Hysterie-Analyse*, dem Fall Dora, aber Goethe hat es ihm in seiner Schilderung der von ihm phantasierten komplexen Fallgeschichte namens *Wahlverwandtschaften* zuvorgetan. Er arbeitet mit Überdeterminierung, dieser Signatur der Wirklichkeit, bis in jeden Winkel der Geschichte hinein, mit Antizipation und Wiederholung, dem Verstecken und Entdecken der Motive so, als gelte es, der psychoanalytischen Grundregel zum Durchbruch zu verhelfen; vor allem aber – und darin sehe ich den Schlüssel des Werks – mit einer Häufung und Überlagerung der Symbole, die sie schließlich zu symbolischem Gebrauch untauglich macht. Aber gerade dies, daß sie dazu untauglich werden, wird seinerseits zur realistischen Option des Romans: so wie das

Glas mit den vieldeutigen Initialen ›E‹ und ›O‹, vom narzißtischen ›Eduard-Otto‹ ins verheißene ›Eduard und Ottilie‹ changierend, uns signalisiert, daß es weder zum Opfer (es zerschellt nicht) noch zum Unterpfand taugt (es zerschellt am Ende doch und wird heimlich ausgetauscht, aber täuscht den unseligen Besitzer auf Dauer so wenig wie der ausgestopfte Lieblingshund des sterbenden Nathanael Bumppo, Coopers Lederstrumpf, diesen); so wie das Kind, ein doppelter Wechselbalg, der hier die Augen und dort die Gestalt der beim Zeugungs- und Empfängnisakt beiderseits Hinzuphantasierten trägt, uns signalisiert, daß es Vereinigung gerade nicht zu symbolisieren vermag, woraufhin uns sein Verschwinden auch nicht rührt, sondern eher aufatmen läßt (und dazu paßt, daß seine Taufe, gleichfalls auf den Namen Otto, schon eine beim Wort genommene Metapher war, dergemäß der selbsternannte Mittler ›Mittler‹ den alten Geistlichen, der so lange nicht mehr stehen kann, buchstäblich totredet). Was folgt daraus? – Wenn Symbole, zu Goethes Zeit, das Werkzeug des Idealismus sind, um das Nichtsymbolische der Wirklichkeit zu transportieren, zum Beispiel deren Ursprungsmacht und -gewalt, es einer projektiven Bearbeitung zuzuführen und zugleich zu ihm symbolische – und das heißt erkennende – Distanz zu wahren, dann werden diese Möglichkeit der Bearbeitung und jene Distanz des Erkennens hier selbst in Frage gestellt. Der Leser, obschon umgeben von der kultivierten Wildnis der Symbole, findet sich ausgesetzt in einer nicht länger symbolisch vermittelbaren Wirklichkeit. Das vier Male in unseren Text eindringende »Ungeheure«, zweimal aus Goethes, zweimal aus des Mediums Ottilie Mund, ist nicht die Transzendenz noch gar das Heilige, sondern ein Synonym für diese Wirklichkeit. – Wir können von ihr in verschiedenen Sprachen reden. Philosophisch gesprochen, ist es so, als hätte sich Kants ›Ding an sich‹ in Marsch gesetzt, theologisch gesprochen, als sei der deus absconditus ausgebrochen, analytisch gesprochen, als stießen wir auf das, was keiner Bearbeitung zugänglich ist. Wir verstehen jetzt besser den Bann, in den Goethes Roman uns ebenso wie seine Akteure schlägt: er ist eine Abschirmvorrichtung gegenüber der nackten, nicht bearbeitbaren Wirklichkeit; und wir sehen alles, inclusive Tod und Verklärung (eine Heilige und ein Seliger zum Schluß, eine veritable Kindsmärtyrin als Zeugin und das Ganze endend in einer eklektisch-dilettantisch ausgestatteten Kapelle, an deren Dekoration die Heilige mit Hand angelegt hat und in der sie sich nun sowohl leiblich wie in effigie wiederfindet), gegen diese nackte Wirklichkeit aufgeboten. Goethe hat, wohl als der einzige Realist unter den Idealisten seiner Zeit, den objektiven und den subjektiven, den klassizistischen und den romantischen, eine solche Vision der Wirklichkeit gehabt. Er hat die traumatische Erfahrung, die sie bedeutet, hinter den Clichés der Zeit versteckt, aber eben diese, unter seiner Hand, beginnen sie auszuplaudern. Wir könnten auch sagen: er hat den Clichés ihre Begründung gleich mitgeliefert; so zum Beispiel der Ottilie, die dem Freund für immer entsagt, ehe sie sich zu Tode fastet und in ihre anfängliche somnambule Sprachlosigkeit zurückfällt, das folgende zweideutige Bekenntnis in den Mund gelegt: »Das Geschick ist nicht sanft mit mir verfahren ... und wer mich liebt, hat vielleicht nicht viel Besseres zu erwarten. So gut und verständig als der Freund ist, ebenso, hoffe ich, wird sich in ihm auch die Empfindung eines reinen Verhältnisses zu mir entwickeln; er wird in mir eine geweihte Person erblicken, die nur dadurch ein ungeheures Übel für sich und andre vielleicht aufzuwiegen vermag, wenn sie sich dem Heiligen widmet, das, uns unsichtbar umgebend, allein gegen die ungeheuren zudringenden Mächte beschirmen kann.« Sie sehen: das »Geschick« ist eines und vielleicht nicht unverschuldet, jene »ungeheuren zudringenden Mächte« ein anderes, gegen das wir sogar mit der Sublimierung unserer Schuld anzukämpfen versuchen (hier winkte der Genuß der Reinheit als Prämie!), das »Heilige« aber, in diesen Kontext gestellt, gehört zum Abwehrzauber. Und wir dürfen sogar vermuten, daß die

Goethe von frühauf so teure, nunmehr als gleichgültig apostrophierte große Mutter ›Natur‹ (»von der Natur erst kurz aus ihren gehaltreichen Tiefen hervorgerufen, durch ihre gleichgültige Hand schnell wieder ausgetilgt«, heißt es wenig später von den »schöne(n), liebenswürdige(n) Tugenden« der in ihrer Kapelle Aufgebahrten) nun auch eher in die Sphäre des Abwehrzaubers gehört als zu dem neuen, harten, dem – so möchte ich ihn einmal nennen – traumatischen Realismus des Romans.

5

Entschließen wir uns zur Anerkennung seiner als des Faszinationsgrunds der *Wahlverwandtschaften* heute – und meine Betrachtungen wollen Ihnen nahelegen, das zu tun –, gewinnen viele der in heiterem Konversationston vorgetragenen Einsichten ihrer Akteure ein ganz anderes Gewicht. Gleich im ersten Kapitel, in der Schilderung der wiedergewonnenen, sanft umwölkten Zweisamkeit von Eduard und Charlotte – einem früheren Liebespaar, das nach beiderseitiger Verwitwung noch einmal von vorn beginnen will –, in einer neu errichteten, mit ihrer beider Unterhaltung eingeweihten Mooshütte, die auch für drei und notfalls auch für vier Platz bietet (Eduard erwägt die Hinzuziehung eines Dritten, des Hauptmanns und Jugendfreunds, Charlotte spukt »ein Viertes«, ihre junge Nichte und Schutzbefohlene Ottilie schon im Kopf, doch einstweilen verwahrt sie sich noch gegen den Dritten), fällt der Satz, dessen ersten Teil ich zur Überschrift über meine Betrachtungen gewählt habe: *Das Bewußtsein ist keine hinlängliche Waffe.* Diesen Satz muß ich näher beleuchten. – Anfangs hatte Charlotte, die das sagt, sich als Aufklärerin zu erkennen gegeben: sie sei nicht abergläubisch, ihre »Ahnung«, daß »die Dazwischenkunft eines Dritten« alles verändern könne, sei auf Erfahrung gegründet; und Eduard, der immer schwankende, nach Ausfüllung seiner Tage strebende

Mann, der sich von der Gegenwart des Hauptmanns ›Beschleunigung‹ und ›Neubelebung‹ erhofft, hatte seinerseits die Pose des Aufklärers annehmen müssen:»Das kann wohl geschehen«, versetzte Eduard,»aber nur bei Menschen, die dunkel vor sich hinleben, nicht bei solchen, die, schon durch Erfahrung aufgeklärt, sich mehr bewußt sind.« Wir hätten hierauf eine Replik erwartet von der Art: daß gerade dies oft zu wenig sei, ›mehr bewußt‹ eben nicht gleich ›ganz bewußt‹, und sind erstaunt, statt dessen zu hören:»Das Bewußtsein, mein Liebster«, entgegnete Charlotte,»ist keine hinlängliche Waffe, ja manchmal eine gefährliche für den, der sie führt«. Das Wort ›Waffe‹ in Charlottes Mund irritiert den Leser. Es enthält einen Überschuß, der ihn schon beim ersten Mal Lesen erschauern läßt – zumal in einem Roman, in dem sonst keine Waffen gezückt werden und der den damit das Orakel über Leben und Tod anrufenden Eduard so gleichmütig in den Krieg ziehen läßt, wie andere ins Bad verreisen. Die ganze schön geschliffene Sentenz, selbst eine gefährliche Waffe, schießt in der Wortwahl über die Situation hinaus, zielt schon auf den Roman als Ganzes, läßt uns vermuten, daß Goethe hier seine Charlotte die Anstrengung des Romanciers, sich der Wirklichkeit zu erwehren, gleich mit aussprechen läßt. Natürlich, sie ist nur ein Exempel dafür unter unabzählbar vielen – das Unbewußte der vier Hauptakteure ist ja eins, nur die Sperren sind verschieden angeordnet, das Experiment im ganzen ist einer Traumveranstaltung vergleichbar, das Aufwachen aus ihr, und dann Weiterträumen, nur eine andere Beschreibung für den Zusammenstoß mit der Realität, von dem ich vorher sprach als von einer traumatischen Erfahrung. Aber ich greife diesen Satz heraus, weil der Überschuß des Wortes ›Waffe‹ uns noch einen sehr viel älteren Stichwortgeber verrät. Es handelt sich um die gleichsam archaische Erbschaft hinter der Verwendung des Bewußtseinsbegriffs, der zu Goethes Zeit in der beschwörerischen Formel Kants vom »Bewußtsein überhaupt« (also das uns Einende über alle unterschiedlichen Häupter hinweg) kulminiert:

einer Formel, die Grenzen und Brüchigkeit der Bewußtseins-
philosophie und zugleich einer sich auf sie verengenden Aufklärung kenntlich macht. Es ist diese Grenze, an der die Syste-
me des Denkens, seiner theoretischen ebenso wie praktischen
Wirksamkeit, sich bis heute scheiden. – Aber zurück zu Charlotte und ihrem archaischen Stichwortgeber! Im ersten Chorlied
des *Oidipus tyrannos* des Sophokles heißt es: »Es gibt kein
Schwert des Denkens« (*phrontidos egchos*, Sie können auch
einfach ›Waffe‹ sagen), »mit dem man sich wehren kann« –
damit wird nicht nur die ödipale Situation beschworen, sondern
die Philosophie gleich mitverworfen, die eben dieses Schwert
schärft, und allein der Tragödie Einsicht zugesprochen in den
Schrecken der Menschenwelt: Tod, Geburt, Schicksal, die nicht
wegzudiskutieren sind, über die keiner sich philosophierend
erhebt, auch nicht der Aufklärer Ödipus, der das Rätsel der
Sphinx zu lösen vermeint und der doch dessen Sinn, sein eigenes Schicksal, nicht aufzuklären vermag. Die Aufklärerin Charlotte übernimmt die Sentenz des Chors: »Das Bewußtsein ist
keine hinlängliche Waffe«, und setzt sie argumentierend so fort:
»ja manchmal eine gefährliche für den, der sie führt«, als stün-
den ihr die weiteren Schicksale des Ödipus vor Augen. In der
Tat sind diese nicht zu trennen von einer Konstellation, die der
griechischen Aufklärung im ganzen zum Verhängnis geworden
ist – eben mit Ausnahme der Tragödie, die sich hierin als die
bessere Aufklärung erweist –: der Verwerfung einer Welt, die
aus unreinen Mischungen zusammengesetzt ist, und ihrer Re-
präsentantin, der Frau – der *femme fatale* in des Wortes buch-
stäblicher, archaischer Bedeutung, deren Berührung zu scheuen,
deren Rache zu fürchten ist. Die Waffe, mit der Ödipus sich
blenden wird, sind ja die Gewandnadeln seiner Mutter und Frau,
und sie sind zugleich deren Hoheitszeichen – das Wort ›Waffe‹
deutet auf einen Aspekt der Auseinandersetzung voraus, der in
Eduards Phantasien wohl seine Rolle spielt, doch den die Akteure teils in konventionelles Spiel zu verwandeln, teils aus ihren

Umgangsformen zu verbannen trachten: den Kampf der Geschlechter. Eduard will ja seine Männerposition durch sein alter Ego, den Hauptmann Otto, stärken, Charlotte in Ottilie ihre Vertraute haben. Alles dies wird aufgeladen in einer Intimsituation der kaleidoskopischen Art, kenntlich nicht nur an dem bloßen Gebrauch der Vornamen, wie sonst nur im Kinderbuch, zur Kennzeichnung der so Familiarisierten, sondern mehr noch an der Variation des im Grunde einzigen Namens, des vor und zurücklesbaren, für alle: Otto genannt Eduard, der Baron, Otto der Hauptmann, Otto das Gespensterkind, Ott-ilie, Charl-otte (aber dazu haben Benjamin und zuletzt Jochen Hörisch schon das Nötige gesagt). Charl-otte jedenfalls ist die Erwachsenste unter den vieren, die in jeder Situation die Contenance behält, die die Komplikationen erkennt, weil sie die Komplikationen erwartet, ohne sie doch durchschauen zu können – sie ist weder so launisch-eigensinnig wie ihr Mann noch so aufs Praktische beschränkt wie ihr begriffsstutziger Liebhaber, der Hauptmann, noch so einfältig und stur wie ihre als Geheimnis vorgestellte Nichte, das Pendelmedium, das zur femme fatale avanciert, indem sie Charlottes Kind ertränkt (wer dächte nicht an die Litanei Gretchens im Kerker: »Links, wo die Planke steht, / Im Teich. / Faß es nur gleich! / Es will sich heben, / Es zappelt noch! / Rette! Rette!«), und die danach sich, unter Umgehung des ihr zugedachten Erzieherinnenpostens, zur Heiligen läutert. Charlotte also steht mit ihrer scharf geschliffenen Replik auf der Seite einer aufklärerischen Vernunft, die an ihre Grenze gestoßen ist, aber sie zieht nicht die Apollinische Tragödienkonsequenz, sich für nichtig zu bekennen vor dem ihr zugedachten Schicksal. Sie ist in ihrer Zeit (der Sturm der romantischen Sympathie für Ottilie bezeugt es) unzeitgemäß, aber das ist sie ebenso noch wie schon; Aufklärerin, aber mit einem Begriff der Bewußtseins-Grenze, die sie, ganz unzeitgemäß, nicht einfach überspringt – wie es die romantischen Medien tun –, sondern mit der sie sich leise, doch intensiv beschäftigt. Phantasieren wir einen Augenblick: Ottilie, heute, wäre einer Sekte beigetreten, der Hauptmann hätte eine Managerkarriere gemacht, Eduard wäre ein unausgefüllter, aber durchaus begeisterungsfähiger, wiewohl mittlerweile verarmter Baron geblieben, Charlotte hätte, nach Verheiratung ihrer manischen Tochter, vielleicht eine späte Ausbildung als Psychoanalytikerin versucht. Aber wir hätten alle vier nur schlechten Gewissens in unsere Zeit versetzen können. Wir hätten ja den Bann, unter dem sie stehen, vorher lösen müssen, und das heißt auch, sie voneinander trennen und sie in die Gesellschaft zurückführen, aus der Goethe sie bewußt entfernt und in ihre Inselexistenz verbannt hat.

6

Die Insel als ein ausgesprengter Teil und dieser wiederum das Ganze – so hat Goethe die begrenzte Tallandschaft mit ein paar Höhenzügen ringsum stilisiert, in der die Akteure auftreten wie auf einer Bühne und für uns, was außerhalb geschieht, nur im teichoskopischen Bericht der antiken Tragödie (also von der Mauer herab, über das, was draußen, jenseits der Mauer vor sich geht) oder aus empfangenen Briefen, dem modernen Instrument einer Seele mit Seele verbindenden Empfindsamkeit, zu haben ist. Buchstäblich nur bis an die Grenzen des Besitztums – hier eine alte Wassermühle, dort ein Vorwerk, allenfalls einmal ein Dorf oder Städtchen am Rand mit noch immer eigenen Liegenschaften – reicht der fokussierende Blick. Wir sind geneigt, diese Beschränkung auf eine bewußte Enge nicht nur als eine historische oder gleichsam bühnentechnische oder – wozu Benjamin tendiert – als eine auf den mythischen Ort verstehen zu wollen. Aber das alles sind sie natürlich auch. Historisch scheint der Roman die Sprache einer eben vergangenen Zeit, des *Deutschen Adelslebens am Schlusse des achtzehnten Jahrhunderts*, wie Eichendorff es knapp zwei Menschenalter später hellsichtig beschrieben hat, als eine gegenwärtige zu sprechen. Eichendorff unterscheidet drei Typen: die primitive Abgeschiedenheit der Landjunker, deren »derbes Idyll« er atmosphärisch bereits ins Politische hinüberspielen läßt (»niemand bemerkte oder beachtete es, daß das Wetter im Westen bereits aufstieg und einzelne Blitze schon über dem dunklen Waldeskranze prophetisch hin und her zuckten«), die exponierte, »bei weitem brillanteste Gruppe« der »Extremen« (sie »erfaßten die Revolution als ein ganz neues und höchst pikantes Amüsement und stürzten sich häufig kopfüber in den flammenden Krater«) und dazwischen, in vieldeutiger Charakterisierung, unseren Fall: die Gruppe der »Exklusiven, Prätentiösen, die sich und andere mit übermäßigem Anstand langweilten«, die derben Landjunker verachteten und »Weltgeschichte machen zu wollen« für pöbelhaft hielten; die »wirkliche Schlösser bewohnten«, den Wirtschaftshof in »möglichste Ferne« schoben, dafür den Garten in den »Vordergrund« ihrer Schlösser ebenso wie ihrer Interessen rückten; die seiner Verwandlung vom französischen in den Landschaftsgarten, der zu neuer sentimentaler Betätigung Anlaß bot, alle Zeit und Muße widmeten und, »obgleich sie in der Regel nichts weniger als Literaten waren«, doch nicht umhinkonnten, »den Geist der jedesmaligen Literatur wenigstens äußerlich, als Mode, in ihrem Luxus abzuspiegeln«. Wollte ich Ihnen die Schilderung in extenso vortragen, Sie hätten das Szenario der *Wahlverwandtschaften* noch einmal: »überall, bis zur tödlichsten Langeweile, dieselbe Courtoisie, dieselben banalen Redensarten und Abneigungen. Sie waren die Akteure (auf) der großen Weltbühne, die nicht den Zeitgeist machten, sondern den Zeitgeist spielten« (denken Sie an die Totenspiele der ›Lebenden Bilder‹ im Roman!): »das Dekorationswesen der Repräsentation war daher ihr eigentliches Fach und Studium, und bühnengerecht zu sein ihr Stolz.« Diese Welt auf der vermeintlich eigenen Insel ist eine sich gegen das Verschwinden sträubende Welt – aber sie festzuhalten hätte nur ein dokumentarisches Interesse für uns gehabt, sie vor dem verdienten Vergessen zu bewahren kann auch Goethes Absicht nicht gewesen sein, wenn er die psychische Enge der ›Konstellation‹ (ich wähle eins von Benjamins Lieblingsworten) mit dem von ihm selbst auch praktizierten Ausstieg aus der Geschichte koppelt. – Die bühnenmäßige Konzentration des Spiels ist durchaus tragödiennah, sie unterstreicht das Ausgeliefertsein der Akteure. Aber die mythische Konzentration, die Benjamin hierin gesehen hat (»Das Mythische ist der Sachgehalt dieses Buches«, so hatte er geurteilt, und Todessymbolik und Opferkalkül schienen ihm recht zu geben, ganz zu schweigen von dem wahrhaft mythischen Ort des zentralen Todesteichs), verfehlt das Moderne, Faszinierende an dem Buch heute. »Ein mythisches Schattenspiel in Kostümen des Goetheschen Zeitalters« – diese Diagnose scheitert schon da, wo wir Benjamins eigene Einsicht in mythische Mächte, die unversöhnt nebeneinander stehen, dem Wechselspiel der Akteure zugrunde legen. Und auch die von ihm konstatierte Doppeldeutigkeit des Goetheschen Naturbegriffs: als der Sphäre der »wahrnehmbaren Erscheinungen« einerseits, der »anschaubaren Urbilder« andererseits zugehörig (von dem er behauptet, daß Goethe über seine »Synthesis« niemals habe »Rechenschaft« ablegen können), kann die Angst des Ausgeliefertseins der Akteure nicht erklären. Im Gegenteil, hier eröffnete sich ja eine gegen die Kantische Inkompatibilitätsformel ins Feld zu führende Utopie (›Ding an sich‹ und ›Welt der Erscheinungen‹ endlich ineins gesetzt!) und nicht der von mir bezeichnete Chok: daß sich das ›Ding an sich‹ in Marsch setzt und als unbearbeitet und unbearbeitbar in die Welt der Erscheinungen einbricht. Statt daß die Mächte unversöhnter Natur gegeneinander stehen und Mythologen ein Netz wirken, sie zu versöhnen, und gerade mit dieser ihrer Tätigkeit auf unversöhnliche Konflikte aufmerksam machen, wirken hier die Akteure selbst das Netz. Und statt daß der Zauber der Erscheinungen mit den angeschauten Urbildern zusammenfällt – so wie in der gleichzeitig verfaßten *Farbenlehre* oder auch, wie es das Kapitel über die naturwissenschaftliche Herleitung des Begriffs ›Wahlverwandtschaften‹ uns nahelegt und Goethe, als er dieses schrieb, es durchaus gemeint haben mag –, sperrt sich in unserem Buch alles gegen eine solche Harmonieformel. Sie hätte den Beteiligten eine gleichsam stoische Schmerzlosigkeit verheißen, doch das Agieren der Figuren, so sehr es vorher kalkuliert sein mag, belehrt ihren Verfasser eines Besseren. Sie arbeiten, ich sagte es schon, unbewußt durchaus zusammen, aber nicht in einem symbolisch vorgegebenen Spiel, sondern an einer symbolisch nicht mitteilbaren, geschweige abwendbaren gemeinsamen traumatischen Erfahrung. Und wir sind uns dessen bewußt, daß wir sie dem gleichen Autor verdanken, der das sie wegerklärende, das gegen sie aufgebotene, das ihrer nicht Herr werdende Spiel ersinnt. Die psychische Enge, in der es sich abspielt, die trügerische Inselwelt, gleicht einem Behältnis: das sie sich mit verteilten Rollen gemeinsam phantasieren und in dem doch keiner ihrer Konflikte lösbar ist. Sie können es auch nicht dem Autor zurückreichen, damit dieser sich ihrer erbarmt und es ihnen in erträglicherem Zustand wiedergibt – der Weg nach außen, der für den Autor einer nach innen wäre, ist ihnen versperrt; auch hierfür ist die Inselwelt ein komfortables Gleichnis. – Daß die Figuren gleichsam nicht herausgerückt sind aus der von Eichendorff beschriebenen Existenz, ist das eine: es unterstreicht nur, daß sie diese als Zuflucht suchten; daß ihre Ausbruchsversuche mißlingen, das andere: es bestätigt ihren alten Rückkehrwunsch. Selbst Charlotte, die einzige, die niemals auszubrechen versucht, weil sie gewohnt ist, »sich ihrer selbst bewußt zu sein, sich selbst zu gebieten«, die sich »mit ernster Betrachtung dem gewünschten Gleichgewicht zu nähern« und zu gleicher Zeit »über sich selbst (zu) lächeln« vermag, verfällt auf Zeit dem »Wahn«, »in einen frühern, beschränktern Zustand könne man zurückkehren, ein gewaltsam Entbundenes lasse sich wieder ins Enge bringen«. Wir aber ahnen, daß *das* Enge des Anfangs in *der* Enge wiederkehrt, in die wir das »gewaltsam

Entbundene« – und wer dächte da nicht auch gleich an Charlottes Kind – getrieben sehen.

7

Kehren wir noch einmal zum Naturgleichnis der ›Wahlverwandtschaften‹, dieses sperrigen, attraktiven Begriffs, zurück. Der Goethesche Fund – ein suggestives Wort aus der Welt der Stoffe und ihrer Verbindungen, so wie Celan später seine suggestiven Wörter aus der Welt des Anorganischen, nun des Versteinten, nehmen wird – wird in einer der abendlichen Lese- und Plauderstunden, halb ernsthaft halb kokett, so lange hin und her gewendet, bis wir am Ende den drei Gesprächspartnern das gleiche Wissen, wennschon nicht Bewußtsein, konzedieren müssen, die gleiche experimentelle Risikobereitschaft und die gleiche, von ihnen weggeredete, untergründige Angst. Die Unterhaltung endet mit der Eröffnung Charlottes, Ottilie herbeizuholen, also die Versuchsanordnung, die vier und nicht drei Mitspieler vorsieht, zu komplettieren. Der Begriff selbst (Wahlverwandtschaften) ist ebenso erhellend wie dunkel, er spielt mit der Scheinkonkretion der Abstracta und den abstrakten Deutungsmustern des Konkreten (also etwas, was wir ständig tun) und gibt vor, beides auf einen Nenner gebracht zu haben. Der Leser meint (und hat so unrecht nicht), das Wort immer schon gekannt zu haben, jetzt will er seine Bedeutung ergründen, aber er prallt ab: ›Wahl‹ ist nicht Wahl und ›Verwandtschaft‹ nicht Verwandtschaft, auch wenn wir den juridischen Verwandtschaftsbegriff durch den der Seelenverwandtschaft ersetzen wollten. Charlotte immerhin hatte von »Naturnotwendigkeit« gesprochen und das Zwanghafte der Wahl in den Prozessen der Scheidung und Vereinigung, in dem Freiheit suggerierenden Begriff selbst benannt – das zwanghaft Gleiche wie in den scheinbar ›freien‹ Assoziationen, mit denen diese Plauderstunde aufgeladen ist. Die Versuchsanordnung, lächelnd vorgeführt, ist schrill, sie wird die Tätigkeit aller Betroffenen ad absurdum führen. Denn einerseits befinden wir uns auf der Insel der Veredelung, die wir auch eine der Sublimierung nennen können – gleich im ersten Satz des Romans wird ja leitmotivisch Eduard, der »reiche Baron im besten Mannesalter«, als ein Veredler junger Bäume vorgeführt, Gartenkunst prätendiert Veredelung und Sublimierung der Natur, aus der wir unsere Projektionen getröstet und gestärkt unschuldig wieder entgegennehmen –, und andererseits wird ein Spiel gespielt, in dem, allen Veredelungsbemühungen zum Trotz, jeder Versuch der Sublimierung mißlingen muß. Die Versuchsanordnung duldet keine solche, an Stelle der Sublimierung tritt die Konvention, die Leidenschaften wohl zu brechen, nicht zu verwandeln vermögen, wie sie ihrerseits zur Erziehung der Leidenschaften nichts beizusteuern vermag; und auch der Opfertod Ottilies und des ihr mimetisch nachsterbenden Eduard (beide verhungern – welch ein Symbol für den Hunger, den beide nicht stillen konnten, aber ist das ein Symbol?) verdienen diesen Namen nicht, sie sind nur die Negativform einer Brechung der Konvention. Der Hauptmann war niemals der Sublimierung fähig (vielleicht sollten wir auch diese Lehre aus der Geschichte von den *Wunderlichen Nachbarskindern* ziehen), und Charlotte hatte mit ihrem Wort: »Das Bewußtsein ist keine hinlängliche Waffe, ja manchmal eine gefährliche für den, der sie führt«, eine Prophezeiung ausgesprochen, die sich an ihr selbst bewahrheiten wird. So wie der *Traum der Vernunft* auf Goyas Blatt und mit seinen Worten (das ist eine Radierung von 1797, gut 10 Jahre zuvor) »Monster« gebiert, wird auch die so vernünftig träumende Charlotte – für mich jetzt die Schlüsselgestalt des Werks, weil gleichsam das Scharnier zwischen der Aufklärung und Goethes Vision der Wirklichkeit – ein Monster gebären. – Vor diesem Hintergrund, nun wieder zurückgelesen, überrascht uns die Schilderung des phantastischen Konnubiums von Eduard und Charlotte, dem die heimliche Zusammenkunft des Grafen und der Baronesse, weltläufige Besucher im Schloß, beflügelnd vorgearbeitet hat, also die Zeugungs- und Empfängnisstunde des Kinds, mit einer der geistreichsten, gelöstesten, spielerischsten Partien des Romans. Alles geht wie im Flug vonstatten, kein quälerischer Zweifel macht sich breit, es herrscht die Heiterkeit der Verwechslungskomödie. Zelters treffender Kommentar, gemünzt auf die »Schreibart« des Ganzen: »welche wie das klare Element beschaffen ist, dessen flinke Bewohner durcheinander schwimmen, blinkelnd oder dunkelnd auf und ab fahren, ohne sich zu verirren oder zu verlieren«, hätte gerade auf diese Partie des Sich-Verirrens oder -Verlierens gepaßt. Aber die Helligkeit und Beweglichkeit des vorgeblich Dunklen, der ausagierten und der phantasierten Trieberfüllung, in der gerade keiner sich im anderen erkennt, ist nur eine andere Ausdrucksform für die Dunkelheit, die dem Hellen und Beweglichen in diesem Roman innewohnt. Mit anderen Worten, und vielleicht über das Ziel hinausschießend gesagt: Was keiner Bearbeitung zugänglich ist, erscheint hier hinter der Maske der »Gegenwart«, die »sich ihr ungeheures Recht nicht rauben (läßt)«. Wieder fällt das Wort »ungeheuer«, diesmal aus des Aussteigers Goethe Mund. Ihr »ungeheures Recht« ist eins, das Geschichte nicht kennt und sich auch der ›Vergegenwärtigung‹ entzieht, die der Repräsentationsbegriff meint, namens derer er die rückberufbaren Toten wieder zum Leben erweckt und sie als Aufpasser und Gewährsleute mit ins Spiel bringt. Dieses Recht ist immediat, ein Recht ›a se‹ – ich will nicht sagen, es sei, *weil* ungeheuer, ein Recht *auf* Ungeheuer, aber immerhin, es trägt ebenso archaische wie moderne Züge, kommt, mythisch gesprochen, dem Ursprung in actu zu, zeigt, Kantisch gesprochen, das, was die Erscheinungen gnädig verbergen, die leere Maske des ›Dings an sich‹, die Kehrseite aller wohlvertrauten Erscheinungen und ihrer ›geheuren‹ Rechte. Daß dies austauschbar wird, der harmlose Satz, durch die Wahl eines einzigen Worts, buchstäblich bodenlos, signalisiert eine Veränderung der Realitätswahrnehmung, die uns heute selbstverständlich erscheint (ich habe sie vorhin den traumatischen Realismus des Romans genannt) und die wir wohl verantwortlich machen müssen für manche der in eine ästhetische oder moralische Argumentation verschobenen Abwehrreaktionen seiner Zeit. – Ich bin sehr gespannt, hierüber Näheres, Anderes, vielleicht ganz Gegenteiliges zu erfahren, und müßte eigentlich hier schon den Schnitt machen, um Ihnen, lieber Herr Beland, recht bald Gelegenheit zu geben für die analytische Deutung dieses Goetheschen Schlüsselworts, das Sie zum Thema Ihres Vortrags gemacht haben. Aber bitte erlauben Sie mir, bei einem Text, der keine Schlüsse kennt, noch eine kurze Schlußbetrachtung.

8

Goethe hat einen hellen Blick in den Schrecken getan, der sich mit Schicksals- oder Naturnotwendigkeit nicht zureichend beschreiben läßt. In einer Welt symbolischer Repräsentation – diese noch einmal darzustellen, war wohl das Hauptmotiv für den anachronistischen Rückgriff eines Gegenwartsromans auf die insulare Adelsexistenz des schon vergangenen Jahrhunderts – versagen die Symbole, die Wirklichkeit tritt nackt und ungetröstet hervor. Nichts rührender und bizarrer zugleich als der Versuch, die untauglichen leibhaft vor dem Zerbrechen zu bewahren, so in Gestalt von Ottilies Amulett mit dem Bildnis des Vaters, und nichts beunruhigender als die andere Seite dessen: die Angst vor der Rachemacht des verdinglichten Symbols, das hätte zerbrechen und ihr die Brust zerschneiden können. Nichts schneidender als das Ende der symbolischen Verweigerung, gleichsam ihre letzte Station, im Schlußmonolog des blinden, nunmehr ›verblendeten‹ Faust, der das Geklirr der Spaten für ein Signal des Fortschritts hält und zu seiner großen symbolischen Rede ansetzt (»Solch ein Gewimmel möcht' ich sehn, /

Auf freiem Grund mit freiem Volke stehn«), indes es die Lemuren sind, die ihm die Grube graben. Natürlich, wie unendlich viel bei Goethe, ist das eine Metapher, die wir auch in der Umkehrung lesen müssen: Der Fortschritt einer rein instrumentalen Vernunft, der zuvor Philemon und Baucis samt dem Wanderer, der alten Hütte und den alten Linden mit Feuer und Schwert aus dem Weg geräumt hat, *ist* das Grab. Darum hatte ich vorhin vom ›Aussteiger‹ Goethe gesprochen, und ich muß bekennen, daß ich die *Wahlverwandtschaften*, je länger desto mehr, auf diesem späten, spätesten Hintergrund lese. Das mag für Goethe die traumatische Erfahrung der Wirklichkeit gewesen sein, von der ich heute berichtet habe: der Riß zwischen einer Vision der tätigen Menschheit und den selbstzerstörerischen Folgen ihres Tuns, der symbolisch nicht überbrückbar ist. Die Insel der Veredelung, die der Roman uns vorführt: Gärtnerei und Edukation, Baum- und Menschenpflanzschule in Parallele gesetzt, hier der schöne Wuchs und dort die freie Entfaltung; aber dann die Todesboten: der Architekt mit seinem ästhetisierenden Gräberkult, der gespenstische ›Mittler‹, ein moderner, geradezu perfekter Todesengel, noch nicht auf dem Cocteauschen Motorrad, noch mit Gespann, der hilflose ›Gehülfe‹, der die zum Untergang Bestimmte zuvor abholen und heimführen soll – und die Hauptpersonen? »Schatten, die einander gegenüberstehen« (welch ein prophetisches, von einem Schatten gegen die Schatten aufgebotenes Wort!); dazu die stets versagenden vernünftigen Arrangements Charlottes und des ›Militärs‹ (des Hauptmanns, avancierend zum ›Charaktermajor‹, der von der glühenden Liebhaberrolle in der *Novelle* längst zum Planen und Meliorisieren übergewechselt ist): eine Welt im Untergang, und wenn im Übergang, dann in der Richtung, die das Ende von *Faust II* uns signalisiert. Daß hier eine Balance nicht möglich ist – das, wonach der Verfasser selbst zeitlebens gestrebt hat –, beleuchtet grell die beiläufig-ironische Bemerkung gleich zu Beginn der Planungs- und Vermessungsphase über das Verhältnis der zwei

Freunde Otto: Dem Baron, dem selber die Balance nicht glückt zwischen Lust- und Pflichten-Ich, wurde das Leben »leicht«, da nun »ein Freund diese Bemühung übernahm, ein zweites Ich die Sondierung bewirkte, in die das eine Ich nicht immer sich spalten mag« – die bequemere Spaltung entlastet von den Mühen der Balance. Nicht antike Heroen, wie Benjamin sie sehen wollte, sondern hilflose prämoderne Menschen treten hier auf, mit deren keinem wir uns identifizieren wollen, weil wir längst sind wie sie: leer wie Ottilie, zerrissen wie Eduard, forsch wie der Hauptmann und klug wie Charlotte. Was an ihnen fasziniert uns trotzdem? – Ich möchte zum Abschluß einen faszinationsgeschichtlichen Bogen schlagen, für den ich ein altes mythologisches Phantasma über das Versagen der Symbole noch einmal bemühen muß. Ich hatte diese, in Übereinstimmung mit einer bis heute nachlebenden, von der erstmaligen Verwendung des Begriffs ›Symbol‹ in Platons *Gastmahl* herrührenden Tradition, als Transporteure des Nichtsymbolischen bezeichnet – Transporteure, füge ich jetzt hinzu, die ihrerseits libidinös aufgeladen sind. Denn sie sind ja zunächst nichts anderes als die halbierten Menschen der Platonischen Gleichnisrede, die das unsymbolisch Eine suchen und die daher ihren Transport mit Rücksicht auf Vereinigung bewerkstelligen: erst der beiden, oder bei Platon besser drei Geschlechter und, wenn diesen die Vereinigung versagt ist, dann im Blick auf ein impersonales Ganzes. Diese Verschiebung, weg von der geschlechtlichen Vereinigung, hin zum alten wahren Ganzen (das kann dann die Polis sein oder ein Stamm, die Nation oder auch nur eine Partei), war der Platonische Trick, den libidinös aufgeladenen Symbolbegriff mit ursprungsmythischem Appeal zu instrumentalisieren. Das ›Ganze‹, mythologisch gesprochen, wird so zu einer mit Schoßqualitäten ausgestatteten Ursprungsmacht, die ihre personalen Opfer fordert. Symbole, faszinationsgeschichtlich gesehen, sind Ursprungsmasken, die uns sowohl die Schmerzen der Vereinigung wie die Schwierigkeiten der Balance ersparen, die uns statt dessen, sei es vor, sei es zurück, in den Ursprung locken – dieses ehrwürdigste Konstrukt der Regresssion (wie gesagt, es gibt auch eine nach vorn, in die ihre Opfer fordernden verehrten Endzustände, aber diese Frage soll uns hier nicht weiter beschäftigen), ein Konstrukt, wie zum Beispiel Benjamin es aufgeboten hat, wenn er den Teich, nachdem die hinderlichen Dämme beseitigt sind, zu einer solchen unheilvollen Ursprungsmaske stilisiert. Aber Goethe, das ist für mich das Faszinierende an dem Roman, ist nicht anfällig für Ursprungsmasken. Die geschlechtliche Vereinigung der, in der Platonischen Version, immer nur gehälfteten Menschenwesen wird nie wieder ein Ganzes ergeben (auch dafür steht der unselige Wechselbalg), aber auch der kompensatorische Ausweg: die Rückkehr in den Ursprung, der Ganzheit verbürgen soll, wird von Goethe als Fiktion zurückgewiesen (darum ist Ottilies Heiligsprechung ein so ansprechend-ohnmächtiges, Clichés bedienendes und in diesem Falle sie durch Rührung rechtfertigendes Arrangement). Die Symbole werden gehäuft und müssen versagen, weil Goethe ihr archaisches Versprechen, das sie ihm gleichsam allesamt entgegentragen, nicht teilt. Er wird ihnen wohl eine ästhetische Funktion in der Vermittlung des Allgemeinen mit dem Besonderen zuerkennen und ihnen damit die von Benjamin vermißte »Synthesis« des doppelten Naturbegriffs auferlegen (›im Besonderen das Allgemeine schauen‹ lautet die Formel), aber es bei dieser bildhaften Vergegenwärtigung belassen (tatsächlich erinnern wir uns nach einiger Zeit weniger des Fortgangs der Handlung als vielmehr der liebevoll ausgemalten bildhaften Szenen in unserem Roman). Das aber hat eine über die ästhetische Sphäre hinausreichende politische Konsequenz, die den ›Aussteiger‹ Goethe unverhofft zu unserem Bundesgenossen macht. Wozu die Symbole bei Goethes Zeitgenossen taugen, verwehrt er ihnen: die ursprungsmythische Instrumentalisierung, von der die Politische Romantik lebt. Eben das macht den Roman so sperrig und noch immer aktuell. Daß seine Figuren in die nackte Wirklichkeit entlassen werden, selbst das Medium Ottilie nicht mitertrinken darf, sondern verhungern muß, läßt sie so ausgesetzt und transzendenzlos erscheinen – wenn sie uns dann doch zu fesseln vermögen, verdanken sie es der Anmut der Goetheschen Sprache, die auch diese Unglücklichen nicht im Stiche läßt. – Ich danke Ihnen für Ihre Aufmerksamkeit.

Anmerkungen

Ich zitiere den Roman nach der handlichen Ausgabe in der Manesse Bibliothek der Weltliteratur: Johann Wolfgang Goethe, Die Wahlverwandtschaften/ Ein Roman (1809), Zürich 1966. – Die Titelzeile des Vortrags: ebd. I, 1, S. 15.

Zu 1

– »seit seinem Erscheinen mit gemischten Gefühlen aufgenommen«: Eine brauchbare knappe Zusammenfassung der zeitgenössischen Urteile: Ursula Ritzenhoff, Johann Wolfgang Goethe, Die Wahlverwandtschaften / Erläuterungen und Dokumente, Reclams Universalbibliothek Nr. 8156, Stuttgart 1982, S. 117 ff. Das volle Panorama: Wilhelm Bode, Goethe in vertraulichen Briefen seiner Zeitgenossen, 3 Bde. (1918–1923), neu herausgeg. von Regine Otto und Paul-Gerhard Wenzlaff, Berlin und Weimar 1979, bes. Bd. 2: 1794–1816.
– geplant als Novelle im Kreise der ›Wanderjahre‹: vgl. Walter Benjamin, Goethes Wahlverwandtschaften, in: Schriften, herausgeg. von Th. W. Adorno et al., Frankfurt a. M. 1955, Bd. 1, S. 55 ff., dort S. 102 ff.
– »Mein bestes Buch«: Goethe im Gespräch mit einer Unbekannten (Sommer 1810?): »Ich kann dieses Buch durchaus nicht billigen, Herr von Goethe, es ist wirklich unmoralisch, und ich empfehle es keinem Frauenzimmer. / Darauf hat Goethe eine Weile ganz ernsthaft geschwiegen, und endlich mit vieler Innigkeit gesagt: ›Das thut mir leid, es ist doch mein bestes Buch‹« (nach Hans Gerhard Gräf, Goethe über seine Dichtungen. Versuch einer Sammlung aller Äußerungen des Dichters über seine poetischen Werke, Teil 1, Bd. 1, Nr. 865, zit. nach Ritzenhoff, a. a. O., S. 150).
– Wilhelm Grimm an seinen Bruder Jacob am 20.10.1809: »Die erste Hälfte des ersten Bandes ist über alle Begriffe langweilig« (Bode, a. a. O., Bd. 2, Nr. 1562). Jacob weist den Tadel zurück (ebd. Nr. 1567): »Es ist mir nämlich begreiflich, daß man in dergleichen Geschichten aus moderner Zeit recht leis in das eigentliche Leben, durch alle Konvenienzen hindurch,

durch alles förmliche Wesen einbrechen muß ... Ohne diesen Eingang wäre die Charlotte sicher nicht interessant«.

– der ›Lustgewinn romanhaften Phantasierens‹: »Der Künstler«, der »seine erotischen und ehrgeizigen Wünsche im Phantasieleben gewähren läßt ... findet ... den Rückweg aus dieser Phantasiewelt zur Realität, indem er dank besonderer Begabungen seine Phantasien zu einer neuen Art von Wirklichkeiten gestaltet, die von den Menschen als wertvolle Abbilder der Realität zur Geltung zugelassen werden. Er wird so auf eine gewisse Weise wirklich der Held, König, Schöpfer, Liebling, der er werden wollte, ohne den gewaltigen Umweg über die wirkliche Veränderung der Außenwelt einzuschlagen« (Sigmund Freud, Formulierungen über die zwei Prinzipien des psychischen Geschehens, 1911, in: Gesammelte Werke VIII, London 1943, S. 233 ff., zit. S. 236 f.).

Zu 2

– Goethes Wort ›Bangigkeit‹: Johann Peter Eckermann, Gespräche mit Goethe in den letzten Jahren seines Lebens, Erster Teil (1835), am 21. Juli 1827. Angeregt durch die Lektüre Manzonis unterscheidet Goethe zwischen »Angst« vor der physischen Bedrohung der handelnden Personen, wie Manzoni sie »mit wunderbarem Glück« behandle, indem er sie »in Rührung auflöst«, und der »Empfindung der Bangigkeit« vor seinem eigenen Werk: »Diese letztere Empfindung wird in uns rege, wenn wir ein moralisches Übel auf die handelnden Personen heranrücken und sich über sie verbreiten sehen, wie z. B. in den ›Wahlverwandtschaften‹«. Vielleicht hat das Ende der ›Wahlverwandtschaften‹, das durchaus Angst in Rührung auflöst, ihm eine solche Unterscheidung nahegelegt.
– Die wunderlichen Nachbarskinder / Novelle, eingeschoben im Zweiten Teil zwischen Kap. 10 und 11: Wahlverwandtschaften, a. a. O., S. 300 ff.
– »mehrmaliges Lesen zur Bedingung eines vollen Verständnisses erklärt«: z. B. im Gespräch mit Eckermann am 9.2.1829 (»es steckt darin mehr, als irgend jemand bei einmaligem Lesen aufzunehmen imstande wäre«).
– »daß die Zeit anfange, ihnen gleichgültig zu werden« (nachdem die chronometrische Sekundenuhr des Hauptmanns stehengeblieben ist): Wahlverwandtschaften, a. a. O., I, 7, S. 79.

Zu 3

– zur Kantischen Kategorie der ›Wechselwirkung‹: Die ›Tafel der Kategorien‹ in der Kritik der reinen Vernunft (1781/87, A 80 / B 106) ist die Realversion der ›Tafel der Urteile‹ (A 70 / B 95): Urteilshorizont und Wirklichkeitshorizont sind eins. Aber während die reale ›Relation‹ von ›Ursache und Wirkung‹ augenfällig dem ihr korrespondierenden hypothetischen Urteil (wenn-dann) entspricht, wird die von ihm so benannte ›Relation der Gemeinschaft: Wechselwirkung zwischen dem Handelnden und Leidenden‹ für ihn zum Problem. Sie ist die »einzige Kategorie«, bei der »die Übereinstimmung mit der in der Tafel der logischen Funktionen (ihr) korrespondierenden Form eines disjunktiven Urteils nicht so in die Augen (fällt), als bei den übrigen«. Dieser Vorbehalt Kants definiert exakt das Problem der ›Wahlverwandtschaften‹. Nur der Rekurs auf eine den Teilen des disjunktiven Urteils (entweder-oder) gemeinsame »Sphäre« und ihr entsprechend auf das »Ganze der Dinge« für das Verständnis der ›Wechselwirkung‹ genannten »Gemeinschaft zwischen dem Handelnden und Leidenden« erlaubt den Vergleich, beide dulden nicht die (hier kausale, dort hypothetische) »Subordination«, und so kann Kant, gleichsam mit Schicksalsmetaphern, formulieren: es werde »eine ähnliche Verknüpfung in einem Ganzen der Dinge gedacht, da nicht eines, als Wirkung, dem anderen, als Ursache seines Daseins, u n t e r g e o r d n e t , sondern zugleich und wechselseitig als Ursache in Ansehung der Bestimmung des anderen b e i - g e o r d n e t wird« (zitiert nach der 3ten Anm. zur Kategorientafel, B 111/12) – wir aber dürfen diese Argumentation sowohl formalistisch wie realistisch lesen.

Zu 4

– Freuds Fall ›Dora‹: Bruchstück einer Hysterie-Analyse (1905), Ges. Werke, a. a. O., Bd. V, London 1942, S. 161 ff., zit. S. 220. Freud konfrontiert an dieser Stelle Wirklichkeit und Poesie (Überdeterminierung könne einen »schönen, poesiegerechten Konflikt ... nur trüben und verwischen«) und liefert so ein unfreiwilliges Indiz dafür, wie verstörend die ›Wahlverwandtschaften‹ auf ihre Leser gewirkt haben müssen.

– das nicht zerschellende Glas: bei der Grundsteinlegung vom Gesellen in die Luft geworfen und von einem Zuschauer aufgefangen (Wahlverwandtschaften I, 9, S. 98), von Eduard um hohen Preis zurückerworben und wie ein Fetisch gehütet (I, 18, S. 180 f.), er selbst an seine »Stelle« gesetzt und zum Omen gemacht (II, 12, S. 320); das am Ende doch zerschellende Glas: vom Personal zerbrochen und mit einem anderen aus Eduards Jugendzeit vertauscht (danach widerstehen ihm Speise und Trank, aber er »kann nicht zürnen, sein Schicksal ist ausgesprochen durch die Tat; wie sollte ihn das Gleichnis rühren?«, II, 18, S. 384 f.).

– der ausgestopfte Lieblingshund des sterbenden Nathanael Bumppo: James Fenimore Cooper, The Prairie (1827), chapter XXXIV.

– der doppelte Wechselbalg (weil gleichsam zweimal von Nichtanwesenden untergeschoben, die immer mitphantasierte objektive Seite subjektiven Phantasierens): Ottilies Erschrecken, Mittlers Stutzen (II, 8, S. 280), das

»Wunderkind«, dessen doppelte Ähnlichkeit »noch mehr in Verwunderung setzte« (II, 11, S. 317), Eduards Entsetzen über »dieses Wesen«, »aus einem doppelten Ehebruch erzeugt«, das gleich darauf im Teich ertrinkt (II, 13, S. 332 ff.), und des Hauptmanns »geheimes Grausen«, als Charlotte die grünseidne Decke aufhebt und er »sein erstarrtes Ebenbild« erblickt (S. 338 f.).

– der alte Geistliche, von Mittler totgeredet: II, 8, S. 281.
– das vier Male in unseren Text eindringende »Ungeheure«: I, 11, S. 126 (»Und doch läßt sich die Gegenwart ihr ungeheures Recht nicht rauben«); II, 6, S. 248 (»sie entwich unter fürchterlichem Schreien, das gleichsam ein Entsetzen vor einem eindringenden Ungeheuren auszudrücken schien« – so von dem jungen Mädchen, Lucianes Opfer, das Ottilies Schicksal vorwegnimmt); II, 15, S. 348 (Ottilie über einen »seltsam unglücklichen Menschen«, eben jenes Mädchen, »der auf eine fürchterliche Weise gezeichnet« ist: »Seine Gegenwart erregte in allen ... eine Art von Entsetzen. Jeder will das Ungeheure ihm ansehen, was ihm auferlegt ward; jeder ist neugierig und ängstlich zugleich. So bleibt ein Haus, eine Stadt, worin eine ungeheure Tat geschehen, jedem furchtbar, der sie betritt. Dort leuchtet das Licht des Tages nicht so hell, und die Sterne scheinen ihren Glanz zu verlieren«); II, 15, S. 351 (»die ungeheuren zudringenden Mächte« in Ottilies Bekenntnis, das ich am Ende des Abschnitts erörterte). Dazu Goethes Kommentar, der, aller Katastrophen ungeachtet, den beklemmenden Blick aufs Ganze gibt: »So setzen alle zusammen, jeder auf seine Weise, das tägliche Leben fort, mit und ohne Nachdenken; alles scheint seinen gewöhnlichen Gang zu gehen, wie man auch in ungeheuren Fällen, wo alles auf dem Spiele steht, noch immer so fortlebt, als wenn von nichts die Rede wäre« (I, 14, S. 142).
– Ottilies Bekenntnis: II, 15, S. 351.
– die »gleichgültige Hand« der großen Mutter Natur: II, 18, S. 382.

Zu 5

– das Gespräch in der Mooshütte: Wahlverwandtschaften I, 1, der »Dritte« und »ein Viertes« S. 7, die entscheidenden Passagen S. 14 f.
– Kants »Bewußtsein überhaupt«: Prolegomena zu einer jeden künftigen Metaphysik, die als Wissenschaft wird auftreten können (1783), Akademieausgabe Bd. IV, S. 300, 304/5, 312. An der Stelle dieses volkstümlichen Begriffs (»überhaupt« ein Wort aus der Viehhändlersprache) stand in der ›Kritik der reinen Vernunft‹ von 1781 (deren Verständnis die ›Prolegomena‹ aufhelfen sollten) der eher scholastische Begriff der »transzendentalen Apperzeption« (A 106 f.).
– das »Schwert des Denkens« (phrontidos egchos): Sophokles, Oidipus tyrannos, Einzugslied des Chors, V. 170 f. Zur Ödipusinterpretation, unter Be-

rücksichtigung der historischen, philosophischen und kultischen Geschlechter-Phantasien, vgl. mein arbeiten mit ödipus / Begriff der Verdrängung in der Religionswissenschaft, Dahlemer Vorlesungen Bd. 3, herausgeg. von Hans-Albrecht Kücken et al., Frankfurt a. M. 1993; ›phrontidos egchos‹ dort S. 136 ff.

– Gretchens Litanei: Faust, Der Tragödie Erster Teil (1808), die Kerkerszene; vgl. dazu die noch unverblümtere Fassung (»Rette den armen Wurm, er zappelt noch«) im Urfaust – Ottilie jedenfalls ein gereinigtes Gretchen.

– zur Namensfamilie: Walter Benjamin, Goethes Wahlverwandtschaften, a. a. O., S. 66. Jochen Hörisch (sein altes Thema) zuletzt in: Die Dekonstruktion der Sprache und der Advent neuer Medien in Goethes Wahlverwandtschaften, Merkur, 52. Jg., Heft 9/10, September/Oktober 1998, S. 826 ff. (mit origineller Interpretation der Todesarten: z. B. die Konkurrenz Buch-Kind, libri-liberi in der Ertränkeszene, S. 836).

Zu 6

– Eichendorffs ingeniöse politische Phänomenologie: Deutsches Adelsleben am Schlusse des achtzehnten Jahrhunderts (1857), in: Vermischte Schriften, Paderborn 1867, von mir zitiert und collagiert nach: Deutscher Geist / Ein Lesebuch aus zwei Jahrhunderten, 1966, o. O. (Nachdruck der auf eine ältere Loerke-Ausgabe zurückgehenden Ausgabe von 1953, herausgeg. und eingeleitet von Peter Suhrkamp), Erster Band, S. 713 ff.

– die Totenspiele der ›lebenden Bilder‹ im Roman: II, 5, S. 235 ff. (mit Luciane als Protagonistin), II, 6, S. 251 ff. (mit Ottilie als Maria), II, 18, S. 381 f. (vom Architekten erinnert in der realen Totenkapelle). Schockierend in diesem Zusammenhang der Satz, mit dem Goethe den »unglaublichen Reiz« (S. 235) der künstlichen Mortifikation – ohne sie kein Zwischenreich, das den Übergang in beide Richtungen erlaubt – zur Erklärung der künstlerischen Wirksamkeit des eigenen Verfahrens nutzt: »Die Gestalten waren so passend, die Farben so glücklich ausgeteilt, die Beleuchtung so kunstreich, daß man fürwahr in einer anderen Welt zu sein glaubte, nur daß die Gegenwart des Wirklichen statt des Scheins eine Art von ängstlicher Empfindung hervorbrachte« (S. 237).

– Benjamins remythologisierende Interpretation des Buchs: Goethes Wahlverwandtschaften, a. a. O.; S. 64: der wahrhaft mythische Ort des zentralen Todesteichs; S. 66 ff.: Todessymbolik und Opferkalkül; S. 72: die »Notwendigkeit des Opfers«; ebd.: »Das Mythische ist der Sachgehalt dieses Buches: als ein mythisches Schattenspiel in Kostümen des Goetheschen Zeitalters erscheint sein Inhalt.« Eine Auseinandersetzung mit Benjamins Mythenfaszination behalte ich mir für den Wiederabdruck vor.

– Benjamins Urteil über den »Doppelsinn« in Goethes Naturbegriff (keine

»Synthesis«, alles mündend in ein »Chaos der Symbole« so wie »das Leben des Mythos« selbst): Goethes Wahlverwandtschaften, a. a. O., S. 79 f., S. 81.

– die trügerische Inselwelt, die einem ›Behältnis‹ gleicht: die traumatische Wirkung wird erzielt, weil dieses Behältnis eben nicht zurückgereicht werden kann, der Autor sich der Reziprozität, die zum Modell des ›Containing‹ gehört, versagt (daß seine Sprache es doch nicht tut, in ihr vielmehr die Figuren immer wieder aufgefangen und sich selbst zurückgegeben werden, macht den literarischen Rang des Romans, zugleich die Bedingung der Möglichkeit aus, das nicht ›Abgelebte‹ seiner traumatischen Erfahrungen zu transportieren; vgl. hierzu auch den Schlußsatz meines Vortrags).
– Charlottes Selbstcharakteristik: Wahlverwandtschaften I, 12, S. 134. Ihr regressiver Wahn, »ein gewaltsam Entbundenes lasse sich wieder ins Enge bringen«: I, 13, S. 138.

Zu 7

– die große »Wahlverwandtschaften«-Disputation: im Roman I, 4, S. 47 ff. (sie soll die »Unart« Charlottes, Vorgelesenes mitzulesen, vergessen machen und setzt stattdessen die Versuchsanordnung des Romans in Gang: von Beginn an werden die Naturverhältnisse auf die »Sozietät« bezogen, »Scheidung« und »Vereinigung«, S. 52 f., diskutiert und am Ende zu »A«, »B« und »C« das »D«, Ottilie, »hinzuberufen«, S. 58).
– »Naturnotwendigkeit« oder doch eher nur »Gelegenheit macht Verhältnisse«?: Charlotte, ebd. S. 54, mit einem prophetischen Stoßseufzer über die armen Naturkörper-Wesen (»Sind sie aber einmal beisammen, dann gnade ihnen Gott!«).
– die Projektionen, die wir von der Natur ›unschuldig‹ wieder entgegennehmen: für alle Gartenarbeit gilt die Unschuldsvermutung des Paradieses, das wir mit ihrer Hilfe wiederzuerlangen suchen; darum dient der Garten im Roman nicht nur als Veredelungsmodell, sondern wird auch als Entschuldungsquelle aufgesucht.
– Goyas Radierung: »El sueño de la razón produce monstruos«, Los Caprichos, Blatt 43, 1797.
– Zelters Kommentar: in seinem Brief an Goethe vom 27.10.1809 (mit aufschlußreichem Vergleich zu Haydn): Gräf, S. 415 f., zit. nach Ritzenhoff, a. a. O., S. 126 f.
– »Und doch läßt sich die Gegenwart ihr ungeheures Recht nicht rauben«: Wahlverwandtschaften I, 11, S. 126 – in unserem Colloquium wenig später der Titel des Vortrags von Hermann Beland.
– Goethe als »Aussteiger«: vgl. meine Erwägungen in: Goethe – Ein Denkmal wird lebendig / Dialoge, herausgeg. von Harald Eggebrecht, München-

Zürich 1982, dort ›Mythos‹ / Wolf-Dieter Bach und Klaus Heinrich, S. 61 ff.; Aussteiger aus der Geschichte: S. 64 ff.; ein Affekt, der »heute Jüngere mit ihm verbinden kann«: S. 71 ff.

Zu 8

– Ottilies Amulett, bedroht und bedrohlich: Wahlverwandtschaften I, 7, S. 81 f.
– der blinde Faust, dem die Lemuren das Grab graben (»Wie das Geklirr der Spaten mich ergetzt! / Es ist die Menge, die mir frönet«; dazu Mephistopheles, halblaut: »Man spricht, wie man mir Nachricht gab, / Von keinem Graben, doch vom Grab«): Faust, Der Tragödie Zweiter Teil (1832), 5. Akt, Großer Vorhof des Palastes.
– »Solch ein Gewimmel möcht' ich sehn ...«: die große Freiheitsrede (vor und nach dem Zweiten Weltkrieg gleichermaßen als identifikatorisches Bekenntnis rezitiert) ebd.
– die Beseitigung von Philemon und Baucis samt Wanderer, Hütte und alten Linden: 5. Akt, Tiefe Nacht (Bericht des Türmers).
– die Schilderung des blinden Fortschritts (»Wo die Flämmchen nächtig schwärmten, / Stand ein Damm den andern Tag. / Menschenopfer mußten bluten, / Nachts erscholl des Jammers Qual; / Meerab flossen Feuergluten, / Morgens war es ein Kanal«): 5. Akt, Offene Gegend (Bericht der Baucis). Vgl. meinen Kommentar dazu in: Ein Denkmal wird lebendig, a. a. O., S. 71 ff.
– »Sind wir nur Schatten, die einander gegenüberstehen?«: Eduards beschwörerische Frage an Ottilie, in der Engführung einer Alptraumsituation (der Gang versperrt, die Tür zur Kammer ins Schloß gefallen, der Schlüssel innen, er selbst entdeckt), beschwört das Totenreich und ist Realitätsbeschwörung zugleich.
– die bequemere Spaltung (in zwei reale Personen), die das Leben »leicht« macht: I, 4, S. 43.
– der faszinationsgeschichtliche Bogen zurück zu Platons ›Gastmahl‹: ich beziehe mich mit meiner Symboltheorie auf die Rede des Aristophanes ebd. (Symp. St. 189 D – 193 D), in der Platon erstmals das Wort ›symbolon‹ (Bruchstück, Scherbe) libidinös auflädt und den so geprägten Begriff zu philosophischem und psychoanalytischem Gebrauch tauglich macht, allerdings mit zwielichtigen Folgen. Zur Interpretation verweise ich auf mein ›Von Nutzen und Nachteil der Spaltung / Religionsphilosophische Erörterung eines gattungsgeschichtlichen Symbols‹ in: Spaltungen in der Geschichte der Psychoanalyse, herausgeg. von Ludger M. Hermanns, Tübingen 1995, S. 62 ff.; inzwischen auch: Klaus Heinrich, Reden und kleine Schriften 1 / anfangen mit freud, Basel/Frankfurt a. M. 1997, S. 69 ff.
– ›im Besonderen das Allgemeine schauen‹: vgl. z. B. Sprüche in Prosa /

Maximen und Reflexionen, 4. Abt., zit. nach ›Goethes Sämtliche Werke in 36 Bdn., Cottasche Bibliothek der Weltliteratur‹, 4. Bd., Stuttgart o. J., S. 149: »Es ist ein großer Unterschied, ob der Dichter zum Allgemeinen das Besondere sucht, oder im Besonderen das Allgemeine schaut. Aus jener Art entsteht Allegorie, wo das Besondere nur als Beispiel, als Exempel des Allgemeinen gilt; die letztere aber ist eigentlich die Natur der Poesie: sie spricht ein Besonderes aus, ohne ans Allgemeine zu denken oder darauf hinzuweisen. Wer nun dieses Besondere lebendig faßt, erhält zugleich das Allgemeine mit, ohne es gewahr zu werden, oder erst spät« (so in der Reflexion auf sein Verhältnis zu Schiller, im Aussprechen einer »zarten Differenz«, eben der von Allegorie und Symbol).

– zum remythologisierenden Verfahren der Politischen Romantik: vgl. Paul Tillich, Die sozialistische Entscheidung (1932, 1933 konfisziert), Nachdruck Offenbach a. M. 1948, Ges. Werke, Bd. II, Stuttgart 1962, S. 219 ff., Erster Teil: Die politische Romantik, ihr Prinzip und ihr Widerspruch.

Inge Stephan

»Schatten, die einander gegenüberstehen«

Das Scheitern familialer Genealogien in Goethes *Wahlverwandtschaften*

I

Ein überraschender Gast und zwei unerwünschte Geschichten

Im 10. Buch des 2. Teils der *Wahlverwandtschaften* – das Kind aus dem »doppelten Ehbruch« (S. 220) hat sich zu einem »tüchtigen Knaben« (S. 192) entwickelt und Charlotte und Ottilie kümmern sich vereint um den kleinen Otto – scheint sich der Roman einen Moment lang zum Guten wenden zu wollen: Eduard und Otto haben das Landgut verlassen, der eine ist in den Krieg gezogen, der andere in gräfliche Dienste getreten, das neue Haus ist fast fertiggestellt und »nahezu bewohnbar« (S. 193) und auch das Wetter zeigt sich von seiner angenehmsten Seite. In diese »schöne Zeit« (S. 194) fällt der Besuch eines englischen Lords, eines alten Bekannten Eduards, der ein »Kenner und Liebhaber« (ebd.) von Gartenanlagen ist und von den beiden Frauen freudig als Gast aufgenommen wird.

Diese idyllische Situation, die durch die interessanten Berichte des Gastes von seinen ausgedehnten Reisen noch intensiviert wird, verwandelt sich jedoch ganz plötzlich in eine »peinliche Lage« (S. 197). Auf die Frage, wo ihr Gast sich »gewöhnlich aufhalte« und »wohin er am liebsten zurückkehre« (S. 196), antwortet der Engländer mit dem Geständnis, daß er ein Heimatloser wäre, nachdem sein Sohn ihn verlassen und nach Indien gegangen sei:

»Ich habe mir nun angewöhnt, überall zu Hause zu sein, und finde zuletzt nichts bequemer, als daß andre für mich bauen, pflanzen und sich häuslich bemühen. Nach meinen eigenen Besitzungen sehne ich mich nicht zurück, teils aus politischen Ursachen, vorzüglich aber, weil mein Sohn, für den ich alles eigentlich getan und eingerichtet, dem ich es zu übergeben, mit dem ich es noch zu genießen hoffte, an allem keinen Teil nimmt, sondern nach Indien gegangen ist, um sein Leben dort, wie mancher andere, höher zu nutzen oder gar zu vergeuden.« (S. 196)

Merkwürdigerweise verliert der Engländer kein Wort über die Mutter des Sohnes, es scheint so, als ob es eine solche gar nicht gegeben hat. Sein Verdruß gilt allein dem ›verlorenen‹ Sohn und dem verwaisten Besitz:

»›Wer genießt jetzt meine Gebäude, meinen Park, meine Gärten? Nicht ich, nicht einmal die Meinigen: fremde Gäste, Neugierige, unruhige Reisende.‹« (ebd.)

Auf die beiden Frauen haben die Reden des Engländers eine verheerende Wirkung. Beide werden aus dem mühsam hergestellten Gleichgewicht des Zusammenlebens herausgerissen. Vor allem Ottilie wird in den »schrecklichsten Zustand« (S. 197) versetzt:

»[...] es zerriß mit Gewalt vor ihr der anmutige Schleier, und es schien ihr, als wenn alles, was bisher für Haus und Hof, für Garten, Park und die ganze Umgebung geschehen war, ganz eigentlich umsonst sei, weil der, dem es alles gehörte, es nicht genösse, weil auch der, wie der gegenwärtige Gast, zum Herumschweifen in der Welt, und zwar zu dem gefährlichsten, durch die Liebsten und Nächsten gedrängt worden.« (ebd.)

Der Engländer scheint sich in der Rolle des ›ewigen Gastes‹ mit einem gewissen Behagen eingerichtet zu haben und nicht zu merken, wie verletzend seine Äußerungen auf die beiden Frauen wirken:

>>Ich bin an den Wechsel gewöhnt, ja er wird mir Bedürfnis, wie man in der Oper immer wieder auf eine neue Dekoration wartet, gerade weil schon so viele dagewesen. Was ich mir von dem besten und dem schlechtesten Wirtshause versprechen darf, ist mir bekannt; es mag so gut oder so schlimm sein, als es will, nirgends find ich das Gewohnte, und am Ende läuft es auf eins hinaus, ganz von einer notwendigen Gewohnheit oder ganz von der willkürlichsten Zufälligkeit abzuhangen. Wenigstens habe ich jetzt nicht den Verdruß, daß etwas verlegt oder verloren ist, daß mir ein tägliches Wohnzimmer unbrauchbar wird, weil ich es muß reparieren lassen, daß man mir eine liebe Tasse zerbricht und es mir eine ganze Zeit aus keiner andern schmecken will. Alles dessen bin ich überhoben, und wenn mir das Haus über dem Kopf zu brennen anfängt, so packen meine Leute gelassen ein und auf, und wir fahren zu Hofraum und Stadt hinaus. Und bei allen diesen Vorteilen, wenn ich es genau berechne, habe ich Ende des Jahres nicht mehr ausgegeben, als es mich zu Hause gekostet hätte.<<< (S. 197 f.)

Das finanzielle Argument am Ende wirft ein bezeichnendes Licht auf das parasitäre Verhältnis des Gastes.[1] Seine Unsensibilität strapaziert die Situation in einer unerträglichen Weise, so daß nur mit Mühe ein Eklat vermieden werden kann. Unfähig, auf die Verletzung offensiv reagieren zu können, adressieren die beiden Frauen die Ungehörigkeit des Gastes als Botschaft an sich selbst: Charlotte, mühsam um Fassung ringend, sieht sich unerwartet mit einer »unerfreulichen Stelle« (S. 197) ihres Lebens konfrontiert und Ottilie meint plötzlich eine »Klarheit« über ihre Situation gewonnen zu haben, wobei in beiden Fällen im Dunkeln bleibt, worin eigentlich die behauptete »Ähnlichkeit« (S. 198) der erzählten Lebensgeschichte des Gastes mit der seiner beiden Gastgeberinnen besteht. Offensichtlich wirkt der Gast nur als Katalysator in einer Situation, die weniger idyllisch ist, als sie zunächst erscheint. Das mühsam hergestellte familiale

Bündnis zwischen den beiden Frauen und dem Kind, das Leonardo da Vincis berühmtem Gemälde *Die Jungfrau, das Kind und die heilige Anna* nachgestellt zu sein scheint, zerbricht genau in dem Augenblick, wo die Genealogie der Geschlechter – als Abfolge vom Vater auf den Sohn – thematisiert und in Frage gestellt wird. Hinter der zur Schau gestellten Selbstzufriedenheit des Engländers als ›ewiger Gast‹ lauert die Angst vor dem Auseinanderbrechen familialer Ordnungen und das Entsetzen vor der Einsamkeit und Unbehaustheit. Die »Ähnlichkeit der Zustände« (S. 198), die der Begleiter des Engländers hellsichtig konstatiert, liegt tiefer als die Beteiligten wahrnehmen und der Erzähler suggeriert.

Die Novelle *Die wunderlichen Nachbarskinder*, die der Begleiter des Engländers gleichsam zur Wiedergutmachung als ›Gastgeschenk‹ präsentiert, führt das Scheitern familialer Genealogien an einem weiteren Beispiel vor. Auf den ersten Blick scheint die Novelle die Geschichte zweier Liebender zu erzählen, die nach vielen Irrungen und Wirrungen doch noch ein Paar werden. Von den Eltern bereits als Kinder zu Ehepartnern bestimmt, entfernen sich die »wunderlichen Nachbarskinder« – in Umkehrung der Geschichte von Romeo und Julia – voneinander statt zusammenzuwachsen. Das Mädchen, eine Miniaturausgabe von Kleists Penthesilea, wütet so heftig gegen den sanften Knaben, daß die Eltern den ursprünglichen Plan, aus den beiden Kindern ein Paar zu machen, rasch aufgeben. Im Laufe der Zeit legt sich jedoch das heftige Temperament des Mädchens und durch die Verlobung mit einem anderen Mann scheint sie mit der weiblichen Rolle vollständig ausgesöhnt zu sein. Die Rückkehr des Nachbarssohnes, der sich in der Ferne zu einem stattlichen und gewinnenden jungen Mann entwickelt hat, läßt die alte Leidenschaft bei dem jungen Mädchen wieder aufflammen, die sich nun aber nicht länger als Haß, sondern als verzehrende Liebe äußert. Es kommt zu einem dramatischen Auftritt. Auf einer Schiffsreise, die der Nachbarssohn für das junge Paar organisiert hat, stürzt sich das junge Mädchen mit einer melodramatischen Geste vom Schiff ins Wasser, um den »ehemals Gehaßten und so heftig Geliebten« (S. 203) zu strafen:

>»Er sollte ihr totes Bild nicht loswerden, er sollte nicht aufhören, sich Vorwürfe zu machen, daß er ihre Gesinnungen nicht erkannt, nicht erforscht, nicht geschätzt habe.« (ebd.)

Das Mädchen wird jedoch von dem Geliebten, der zum Glück ein guter Schwimmer ist, gerettet. In der Hütte eines jungen Ehepaares, wohin der Nachbarssohn die scheinbar Tote als »Beute« gebracht hat, gelingt es »den schönen, halbstarren, nackten Körper« (S. 205) wieder ins Leben zu rufen. In den Brautkleidern des jungen Ehepaares kehren die beiden Nachbarskinder »wie in einer sonderbaren Verkleidung« (S. 206 f.) in die Gesellschaft, die sie bereits tot geglaubt hatte, zurück und erbitten von den Eltern den Segen zu der Verbindung:

>»Die Geretteten warfen sich vor ihnen nieder. ›Eure Kinder!‹ riefen sie aus, ›ein Paar.‹ – ›Verzeiht!‹ rief das Mädchen. ›Gebt uns Euren Segen!‹ rief der Jüngling. ›Gebt uns Euren Segen!‹ riefen beide, da alle Welt staunend verstummte. ›Euren Segen!‹ ertönte es zum drittenmal, und wer hätte den versagen können!« (S. 207)

Derjenige, der den Segen hätte verweigern können – der düpierte Bräutigam nämlich, der aus Sorge um die Braut »fast die Besinnung« (S. 206) verloren hatte, scheint in dem Schlußtableau vergessen worden zu sein. Oder doch nicht? Ist er es, der die dritte Bitte um Segen ertönen läßt und durch seine Großmut die märchenhafte Zusammenführung des Paares ermöglicht? Oder ertönt am Ende gar die Stimme Gottes? Wie dem auch sei – der ›vergessene Bräutigam‹ am Schluß und die fehlende Zuordnung der dritten Stimme, die wie ein Echo der beiden ersten wirkt, rückt die Geschichte als Ganzes ins Zwielicht, das noch durch die anschließende ›Enthüllung‹ verstärkt wird, daß die

Novelle in Wahrheit weder eine Fiktion noch eine Neuigkeit, sondern die ›nachgetragene Vorgeschichte‹ des Hauptmannes ist. Als solche wird sie jedenfalls von Charlotte wahrgenommen.

»Der Erzählende machte eine Pause oder hatte vielmehr schon geendigt, als er bemerken mußte, daß Charlotte höchst bewegt sei; ja sie stand auf und verließ mit einer stummen Entschuldigung das Zimmer; denn die Geschichte war ihr bekannt. Diese Begebenheit hatte sich mit dem Hauptmann und einer Nachbarin wirklich zugetragen, zwar nicht ganz wie sie der Engländer erzählte, doch war sie in den Hauptzügen nicht entstellt, nur im einzelnen mehr ausgebildet und ausgeschmückt, wie es dergleichen Geschichten zu gehen pflegt, wenn sie erst durch den Mund der Menge und sodann durch die Phantasie eines geist- und geschmackreichen Erzählers durchgehen. Es bleibt zuletzt meist alles und nichts, wie es war.« (S. 207)

Die behauptete Ähnlichkeit zwischen der erzählten Geschichte und der Lebensgeschichte des Hauptmannes wird durch den sich anschließenden Erzählerkommentar so gründlich in Frage gestellt, daß am Ende völlig unklar ist, welche Beziehung zwischen Novelle und der Geschichte des Hauptmannes eigentlich besteht. Ist der Hauptmann, der in dem Roman als Junggeselle, Heimat- und Besitzloser eingeführt wird, der ›vergessene Bräutigam‹, der in der Novelle als ein »junger Mann [...] von Stand, Vermögen und Bedeutung, beliebt in der Gesellschaft, gesucht von Frauen« (S. 200) vorgestellt wird? Oder ist er der glückliche Nachbarssohn? Für das erste könnte die Wunschgehemmtheit sprechen, die Hauptmann und Bräutigam zu Doppelgängern in der Verfehlung des Begehrten machen, für das zweite, daß Nachbarssohn und Hauptmann beide dem »Soldatenstande« angehören.

Eine eindeutige Interpretation ist unmöglich. Die »Bezüge und Verwandtschaften« (S. 209), über die die gesellige Runde im Anschluß an die erzählte Novelle im Zusammenhang mit dem Pendelexperiment, in das der Begleiter des Engländers die beiden Frauen verwickelt, spekulieren, werden vom Erzähler systematisch verwischt und gleichzeitig so mystifiziert, daß ›sicher‹ allein die Reaktion Charlottes ist: Sie ist »höchst bewegt« und verläßt die Gesellschaft wortlos. In modifizierter Form wiederholt sich damit die Reaktion, mit der Ottilie auf die erste Erzählung reagiert hatte. In beiden Fällen erklärt das Erzählte nicht die Heftigkeit der Reaktion, die sich als körperliche Symptomatik äußert und sich sprachlich nicht manifestieren kann. Es ist m.E. nicht so sehr die Erinnerung an den jeweiligen Geliebten, wie auf der Oberflächenebene des Romans suggeriert wird, als vielmehr die schockartige Erkenntnis, daß der Liebe keine Dauer beschieden ist – weder der zwischen den Geschlechtern, noch der zwischen Eltern und Kindern – und daß alle Beziehungen, die auf der Dauerhaftigkeit vergänglicher Gefühle aufbauen, zum Scheitern verurteilt sind.

II

Ein vehementes Plädoyer für die Ehe und zwei kuriose Reformvorschläge

Der Roman bearbeitet diese schockartige Erkenntnis auf verschiedenen Ebenen und in immer neuen Konstellationen. Bereits der Titel spielt auf das rätselhafte Verhältnis von Attraktion und Abstoßung an, das sich als Widerspruch durch die Menschen- und Naturgeschichte zieht. Die Problematik von Eheschließung und Ehescheidung wird aber nicht nur in den unterschiedlichsten Paarkonstellationen und deren Zerfall vorgeführt, sondern sie wird auch in Gesprächen sehr direkt thematisiert. Dem 11. Kapitel des 1. Buches, in dem »die verhängnisvolle Nacht zwischen Charlotte und Eduard« und der »doppelte Ehbruch« (Inhaltsübersicht) erzählt wird, sind zwei Kapitel vorangestellt, in denen die »gesellschaftliche und sittliche Problematik der Ehe« (ebd.)

von zwei verschiedenen Seiten beleuchtet wird. Die Ankündigung, daß der Graf und die Baronesse – alte Freunde Eduards und Charlottes »aus früherer Hofzeit« (S. 70) – einen Besuch machen wollen und um ein Nachtlager bitten, kommt besonders Charlotte »ungelegen« (ebd.), da sie fürchtet, daß Ottilie, das »gute reine Kind« (ebd.) durch das Beispiel dieses Paares, das die Regeln der Moral so eklatant verletzt, verdorben werden könnte. Mittler, der durch Zufall zu den Freunden stößt, ist entsetzt, als er hört, welcher Besuch sich angekündigt hat. Panikartig ergreift er die Flucht, um mit den verhaßten Gästen »nicht unter einem Dache bleiben« (S. 71) zu müssen. Hellseherisch nimmt er die spätere Entwicklung vorweg:

> »›[...] nehmt euch in acht; sie bringen nichts als Unheil! Ihr Wesen ist wie ein Sauerteig, der seine Ansteckung fortpflanzt.‹« (S. 71)

Bevor er die vier Freunde »verdrießlich« (S. 72) verläßt, hält er ein Plädoyer für die Ehe, das aus dem Munde eines notorischen Junggesellen und rastlosen ›Vermittlers‹, der es sich zur Maxime gemacht hat, »in keinem Hause zu verweilen, wo nichts zu schlichten« (S. 20) ist, aber einen merkwürdigen Beiklang hat und durch den eifernden Ton, in dem es vorgetragen wird, an Überzeugungskraft verliert.

> »Man suchte ihn zu begütigen, aber vergebens. ›Wer mir den Ehstand angreift,‹ rief er aus, ›wer mir durch Wort, ja durch Tat diesen Grund aller sittlichen Gesellschaft untergräbt, der hat es mit mir zu tun; oder wenn ich sein nicht Herr werden kann, habe ich nichts mit ihm zu tun. Die Ehe ist der Anfang und der Gipfel aller Kultur. Sie macht den Rohen mild, und der Gebildetste hat keine bessere Gelegenheit, seine Milde zu beweisen. Unauflöslich muß sie sein; denn sie bringt so vieles Glück, daß alles einzelne Unglück dagegen gar nicht zu rechnen ist. Und was will man von Unglück reden? Ungeduld ist es, die den Menschen von Zeit zu Zeit anfällt, und dann beliebt er sich unglücklich zu finden. Lasse man den Augen-

blick vorübergehen, und man wird sich glücklich preisen, daß ein so lange Bestandenes noch besteht. Sich zu trennen gibts gar keinen hinlänglichen Grund. Der menschliche Zustand ist so hoch in Leiden und Freuden gesetzt, daß gar nicht berechnet werden kann, was ein Paar Gatten einander schuldig werden kann. Es ist eine unendliche Schuld, die nur durch die Ewigkeit abgetragen werden kann. Unbequem mag es manchmal sein, das glaub ich wohl, und das ist eben recht. Sind wir nicht auch mit dem Gewissen verheiratet, das wir oft gerne los sein möchten, weil es unbequemer ist, als uns je ein Mann oder eine Frau werden könnte?‹« (S. 71 f.)

Das adlige Paar scheint durch die »freie Weise«, durch die »Heiterkeit« und den hohen »Anstand« (S. 72), die sie im Umgang mit den vier Freunden zeigen, die schlechte Meinung, die Mittler von ihnen hegt, zu widerlegen. Es entwickeln sich lebhafte Gespräche und die Wahl des Französischen erlaubt eine gewisse Sorglosigkeit bei der Wahl der Themen:

»[...] Man bediente sich der französischen Sprache, um die Aufwartenden von dem Mitverständnis auszuschließen, und schweifte mit mutwilligem Behagen über hohe und mittlere Weltverhältnisse hin. Auf einem einzigen Punkt blieb die Unterhaltung länger als billig haften, indem Charlotte nach einer Jugendfreundin sich erkundigte und mit einiger Befremdung vernahm, daß sie ehstens geschieden werden sollte.« (S. 73)

Auf Charlottes Bestürzung, daß die Freundin nun wieder ›unversorgt‹ und ihr »Schicksal im Schwanken« (ebd.) ist, reagiert der Graf mit weltmännischer Gelassenheit:

»›Eigentlich, meine Beste‹, versetzte der Graf, ›sind wir selbst schuld, wenn wir auf solche Weise überrascht werden. Wir mögen uns die irdischen Dinge und besonders die ehlichen Verbindungen gern so recht dauerhaft vorstellen, und was den letzten Punkt betrifft, so verführen uns die Lustspiele [...] zu solchen Einbildungen, die mit dem Gange der Welt nicht zusammentreffen. In der Komödie sehen wir eine Heirat als das letzte Ziel eines durch die Hindernisse mehrerer Akte verschobenen Wunsches, und im Augenblick, da es erreicht ist, fällt der Vorhang, und die momentane Befriedigung klingt bei uns nach. In der Welt ist es anders; da wird hinten immer fortgespielt, und wenn der Vorhang wieder aufgeht, mag man gern nichts weiter davon sehen noch hören.‹« (S. 74)

Als Gewährsmann für seine Eheskepsis zitiert der Graf einen Freund, der folgenden Vorschlag gemacht hat:

»›[...] Einer von meinen Freunden [...] behauptete: eine jede Ehe solle nur auf fünf Jahre geschlossen werden. Es sei, sagte er, dies eine schöne, ungrade, heilige Zahl und ein solcher Zeitraum eben hinreichend, um sich kennenzulernen, einige Kinder heranzubringen, sich zu entzweien und, was das Schönste sei, sich wieder zu versöhnen.‹« (S. 74)

Vergeblich versucht Charlotte das Gespräch zu entschärfen. Der Graf, der sonst ein überaus höflicher und aufmerksamer Gesprächspartner ist, übergeht die Ablenkungsmanöver seiner Gastgeberin geflissentlich und stellt noch einen weiteren Vorschlag des bereits zitierten Freundes vor:

»›Jener Freund‹, so fuhr er fort, ›tat noch einen andern Gesetzvorschlag: Eine Ehe sollte nur alsdann für unauflöslich gehalten werden, wenn entweder beide Teile oder wenigstens der eine Teil zum drittenmal verheiratet wäre. Denn was eine solche Person betreffe, so bekenne sie unwidersprechlich, daß sie die Ehe für etwas Unentbehrliches halte. Nun sei auch schon bekannt geworden, wie sie sich in ihren frühern Verbindungen betragen, ob sie Eigenheiten habe, die oft mehr zur Trennung Anlaß geben als üble Eigenschaften. Man habe sich also wechselseitig zu erkundigen; man habe ebensogut auf Verheiratete wie auf Unverheiratete achtzugeben, weil man nicht wisse, wie die Fälle kommen können.‹« (S. 75)

Dieses Plädoyer für die ›Dritt-Ehe‹ und die launige Zustimmung, die Eduard äußert, stehen in merkwürdigem Widerspruch zu der jeweiligen familiären Situation der Gesprächspartner: Der Graf ist das erste Mal verheiratet und strebt mit der Baronesse auf seine (und ihre) zweite Ehe zu (siehe S. 153, 159). Für Eduard und Charlotte handelt es sich um die zweite Ehe, nachdem beide mit anderen Partnern bzw. Partnerinnen in erster Ehe verheiratet waren: Eduard wurde – so rekapituliert der Erzähler am Anfang des Romans – von seinem Vater in eine »seltsame, aber höchst vorteilhafte Heirat mit einer viel älteren Frau« (S. 14) gedrängt, die bald stirbt und ihn als wohlhabenden Mann zurückläßt. Von dem Geld kann Eduard das Landgut kaufen, auf das er sich mit Charlotte zurückzieht. Charlotte wurde nach eigener Aussage von ihren Eltern gezwungen, einen »wohlhabenden, nicht geliebten, aber geehrten« Mann (S. 11) zu heiraten. Die in dieser Ehe geborene Tochter Luciane hat sie nach dem Tod des Mannes in ein Pensionat gegeben, um gemeinsam mit Eduard, ihrem alten Jugendfreund, eben die Verbindung zu schließen, die bislang in ihrer beiden Wahrnehmung von den Umständen verhindert worden ist. Auch wenn der Graf und die Baronesse an dieser Wahrnehmung gewisse Zweifel anmelden – der Graf wirft Eduard vor, daß er damals nicht »beharrlicher« (S. 77) um Charlotte geworben habe, und die Baronesse gibt Charlottes kokettem »Umhersehen« nach andern Männern die »Schuld« (ebd.) daran, daß Eduard sich auf Reisen begeben hat –, so erscheinen Charlotte und Eduard in der sentimentalischen Rückerinnerung des Grafen nicht nur als das »schöne Paar« (ebd.) bei Hofe, sondern sie stellen für ihn auch gegenwärtig »ein wahrhaft prädestiniertes Paar« (ebd.) dar, »das, einmal zusammengegeben, weder fünf Jahre zu scheuen, noch auf eine zweite oder gar dritte Verbindung hinzusehen brauchte« (S. 77 f.). An diese überschwengliche Hochstilisierung der Beziehung, die die vorherigen frivolen Bemerkungen Lügen zu strafen scheint, schließt der Graf eine heftige Kritik an den beiden ersten Ehen seines Gastgeberpaares an, um dann ganz unvermittelt zum Frontalangriff gegen die Ehe an sich überzugehen:

>»Ihre ersten Heiraten<, fuhr er mit einiger Heftigkeit fort, >waren doch so eigentlich rechte Heiraten von der verhaßten Art, und leider haben überhaupt die Heiraten – verzeihen Sie mir einen lebhafteren Ausdruck – etwas Tölpelhaftes; sie verderben die zartesten Verhältnisse, und es liegt doch eigentlich nur an der plumpen Sicherheit, auf die sich wenigstens ein Teil etwas zugute tut. Alles versteht sich von selbst, und man scheint sich nur verbunden zu haben, damit eins wie das andere nunmehr seiner Wege gehe.<« (S. 78)

Damit aber hat er offensichtlich die Grenze überschritten, die insbesondere Charlotte im Gespräch eingehalten sehen will. Mit einer »kühnen Wendung« (S. 78), die uns der Erzähler im Wortlaut leider vorenthält, beendet sie abrupt das Gespräch.

Die >Brandsätze<, die der Graf und die Baronesse durch ihre bloße Anwesenheit, durch ihre freizügigen und anspielungsreichen Reden, durch ihre verlockenden Angebote und verführerischen Einladungen, vor allem aber durch das demonstrative Ausleben ihrer Beziehung, die so offensichtlich keine platonische ist, in die Gemeinschaft der vier Freunde legen, entwickeln jedoch eine Sprengkraft, die sich durch keine noch so »kühne Wendung« mehr bremsen läßt. Der Gang der weiteren Entwicklung scheint Mittler recht zu geben. Aber wird damit auch sein Plädoyer für die Ehe im nachhinein bestätigt? Ich denke nicht: Die Antipoden Mittler, der ehemalige Geistliche, und der Baron, der überzeugte Lebemann, vertreten im Roman entgegengesetzte Ehekonzepte, die viel mit ihren eigenen Lebensgeschichten, aber wenig mit den eigentlichen Kräften zu tun haben, die den Roman der Katastrophe zutreiben lassen. Die moralisch-sittliche und die frivol-anzügliche Argumentationsebene, auf der die »Problematik der Ehe« (Inhaltsverzeichnis) von Mittler und dem Grafen abgehandelt wird, kann nicht die Untiefen verdecken, die sich zwischen den vier Hauptfiguren des Romans auftun.

III

Paare ohne Kinder und aussterbende Geschlechter

Wenn es im Roman heißt, daß Eduards ganzes Wesen Ottilie
›entgegenströmt‹ (vgl. S. 93), wird damit auf eine Kraft ange-
spielt, die etwas anderes ist als das Streben nach Ordnung, Dauer, Besitz und Versorgung, von der Mittler spricht, die sich aber
auch von der Suche nach dem Abenteuer, der Ablenkung und
der schnellen Befriedigung unterscheidet, von der der Graf
redet. Warum aber, wenn diese Kraft tatsächlich so stark ist, wie
der Roman mit dem Verweis auf die ›Gesetze der Anziehung
und Abstoßung in der Chemie‹ suggeriert, setzt sich diese Kraft
nicht über alle Hindernisse hinweg? Warum findet der Ehebruch
nur im ›Kopf‹ und nicht in der ›Realität‹ statt? Ohne den Roman mit einer psychoanalytischen Lesart überfrachten zu wollen, möchte ich den Blick auf eine Auffälligkeit lenken, die sich
aus der Perspektive meiner Fragestellung geradezu aufdrängt:
Bis auf wenige Ausnahmen zeigt der Roman nur Paare ohne
Kinder und aussterbende Geschlechter. Die erste Ehe Eduards ist
kinderlos geblieben – ob das an dem fortgeschrittenen Alter der
Frau oder an der Beziehungsstruktur zwischen »Sohn« und
»Mütterchen« (S. 11) liegt, sei dahingestellt. Die Tochter Luciane aus Charlottes erster Ehe ist eine hektische, umtriebige Person und als Mutter und Fortsetzerin der mütterlichen Linie
schwer vorstellbar. Mutter und Tochter sind sich so fremd, daß
Charlotte in Ottilie ihre eigentliche Tochter sieht. Der Hauptmann bleibt, obwohl zwischendurch von einer Aussicht auf eine
vorteilhafte Heirat die Rede ist (S. 105) ledig und nimmt die
Vaterrolle, die ihm Eduard gern zuschieben möchte, nicht an.
Der ›Wechselbalg‹ Otto hat keine Überlebenschancen, weil er –
so eine mögliche These – vom Vater nicht als ›Stammhalter‹
angenommen wird. Als Charlotte Eduard darum bittet, Ottilie
wieder in die Pension zurückzuschicken, fragt sie ihren Mann:

»»Kann Ottilie glücklich sein, wenn sie uns entzweit, wenn sie mir einen Gatten, seinen Kindern einen Vater entreißt?‹« (S. 107)

Den in dieser verklausulierten Frage enthaltenen Hinweis auf eine mögliche aktuelle oder künftige Vaterschaft Eduards wird von Eduard, der zu diesem Zeitpunkt von der bestehenden Schwangerschaft Charlottes noch nichts weiß, brüsk zur Seite geschoben, wenn er sagt:

»»Für unsere Kinder, dächte ich, wäre gesorgt,« sagte Eduard lächelnd und kalt; etwas freundlicher aber fügte er hinzu: »Wer wird auch gleich das Äußerste denken!‹« (ebd.)

Auch als der Sohn geboren ist, verweigert Eduard die Vaterrolle. Auf die Vorhaltung des Hauptmannes, der inzwischen zum Major befördert worden ist, daß durch die Geburt des Sohnes eine neue Situation entstanden sei und daß Vater und Mutter nun »vereint für seine Erziehung und für sein künftiges Wohl sorgen« (S. 212) müßten, antwortet Eduard schroff:

»»Es ist bloß ein Dünkel der Eltern‹, versetzte Eduard, ›wenn sie sich einbilden, daß ihr Dasein für die Kinder so nötig sei. Alles, was lebt, findet Nahrung und Beihülfe; und wenn der Sohn nach dem frühen Tode des Vaters keine so bequeme, so begünstigte Jugend hat, so gewinnt er vielleicht ebendeswegen an schnellerer Bildung für die Welt, durch zeitiges Anerkennen, daß er sich in die andere schicken muß, was wir denn doch früher oder später alle lernen müssen.‹« (S. 213)

Selbst in den Tagträumereien des Vaters hat der Sohn keinen Platz. Die mögliche Lösung, die Eduard vorschlägt, daß er selbst dem Hauptmann Charlotte und dieser ihm Ottilie zuführen möge (S. 214), basiert auf der Trennung von dem Sohn.

»Da das Kind bei der Mutter bleiben sollte, so würde der Major den Knaben erziehen, ihn nach seinen Einsichten leiten, seine Fähigkeiten entwickeln können. Nicht umsonst hatte man ihm dann in der Taufe ihren beiderseitigen Namen Otto gegeben.« (S. 218)

Auch in den geheimen Phantasien des Majors ist der kleine Otto, der doch seine Züge trägt, ein bloßer Störfaktor. Über seinen Tod kann nicht einmal er Trauer empfinden:

> »Ein solches Opfer schien ihm nötig zu ihrem allseitigen Glück. Er dachte sich Ottilien mit einem eignen Kind auf dem Arm, als den vollkommensten Ersatz für das, was sie Eduarden geraubt; er dachte sich einen Sohn auf dem Schoße, der mit mehrerem Recht sein Ebenbild trüge als der abgeschiedene.« (S. 226)

Als Eduard den Knaben das erste Mal erblickt, schrickt er, wie er Ottilie gesteht, vor ihm wie vor dem Zeugen eines »Verbrechens« (vgl. S. 86) zurück:

> »›[...] Warum soll ich das harte Wort nicht aussprechen: dies Kind ist aus einem doppelten Ehbruch erzeugt! es trennt mich von meiner Gattin und meine Gattin von mir, wie es uns hätte verbinden sollen. Mag es denn gegen mich zeugen, mögen diese herrlichen Augen den deinigen sagen, daß ich in den Armen einer andern dir gehörte; mögest du fühlen, Ottilie, recht fühlen, daß ich jenen Fehler, jenes Verbrechen nur in deinen Armen abbüßen kann!‹« (S. 220)

Der Tod des Kindes erscheint in dieser Perspektive wie die Beseitigung eines lästigen Zeugen. Aber auch das phantasierte Glück in Ottiliens Armen wird so ungetrübt nicht sein, wenn man die Buß- und die Gefängnismetaphorik in Eduards Aussagen ernst nimmt.

Die Beziehung zu Ottilie ist freilich nicht nur durch den »Ehbruch« und den Tod des Kindes belastet. Bereits von Anfang an liegt über ihr etwas Unschickliches. Ottilie wird in den Roman als »liebes Kind« (S. 16) eingeführt und sie verläßt ihn als »himmlisches Kind« (S. 249). Zum einen ist sie ›Wunsch‹- und

›Wahltochter‹ Charlottes, die an die Stelle der eigenen, unge-
liebten Tochter die Nichte stellt, zum anderen ist sie Kind eines
Vaters, der auch noch nach seinem Tode sorgsam über der
Tochter wacht. Das Medaillon, das Ottilie als Erinnerungsstück
an den verstorbenen Vater um den Hals trägt, wird von Eduard
als Herausforderung und Abschreckung zugleich wahrgenommen. Seine Sorge, Ottilie könne sich durch das Medaillon ver-
letzen, entbehrt nicht einer gewissen Komik (vgl. S. 57). Als
Ottilie das Medaillon schließlich ablegt, ist es Eduard, »als
wenn sich eine Scheidewand zwischen ihm und Ottilie nieder-
gelegt hätte« (S. 58, vgl. auch S. 245). Trotzdem kommt es nicht
zu einer Vereinigung der Liebenden, weil sich – so steht zu vermuten – das Tabu auf einer neuen Ebene wiederherstellt.

Eduard befindet sich sowohl in der Beziehung zu seiner ersten wie zu seiner zweiten Frau in der Rolle des Sohnes, in der
Beziehung zu Ottilie aber in der Position des Vaters. Diese
doppelte und widersprüchliche familiale Einbindung läßt ihn als
Liebhaber so schwach erscheinen und macht ihm die biologi-
sche Vaterschaft und die Fortpflanzung des eigenen Ge-
schlechts im Sinne der Übergabe von Besitz und gesellschaftli-
chem Rang letztlich unmöglich. Die Zeugung des unglücklichen Knaben Otto beruht zumindest von der Seite Eduards her
auf einer doppelten Verwechslung und Verfehlung: Nicht nur
weil Eduard in dem »doppelten Ehbruch« an die Stelle der
›Mutter‹ Charlotte die ›Tochter‹ Ottilie phantasiert, sondern
auch weil sein Begehren, das seit langer Zeit abgestorben zu
sein scheint, überhaupt erst durch das Begehren eines anderen
Mannes wiederbelebt wird. Der Graf schwärmt mit so großer
»Lebhaftigkeit von der Schönheit Charlottens« (S. 82) und gibt
sich mit solcher Inbrunst der Vorstellung hin, »ihren Schuh
küssen« zu dürfen (ebd.), daß Eduard statt zu Ottilie zu gehen,
zu der ihn eigentlich »ein unüberwindliches Verlangen« (S. 84)
treibt, an Charlottes Tür klopft, um eben das zu tun, von dem
der Graf phantasiert hatte:

»Er verwickelte den rätselhaften Besuch in rätselhafte Erklärungen. ›Warum ich denn eigentlich komme,‹ sagte er zuletzt, ›muß ich dir nur gestehen. Ich habe ein Gelübde getan, heute abend noch deinen Schuh zu küssen.‹« (S. 85)

Eduard nähert sich der eigenen Frau gewissermaßen als Stellvertreter eines anderen. Seine kritische Selbsteinsicht am Ende des Romans, als er Ottilies Hungertod nachzuahmen versucht, daß sein »ganzes Bestreben nur immer eine Nachahmung« (S. 254) gewesen sei, läßt sich auf verschiedene Situationen im Roman übertragen: Etwas »Eigenes« (S. 150) hat Eduard – darin Charlottes Tochter Luciane ähnlich – nicht ausgebildet. Nicht einmal der Name gehört ihm wirklich. Als »Otto« ist er Doppelgänger des Hauptmannes bzw. Majors, der an seinem Namen im Gegensatz zu Eduard jedoch festhält, im Roman aber nie mit diesem angeredet wird. Wer aber nichts »Eigenes« (ebd.) darstellt, kann – so eine mögliche Lesart des Romans – die Geschlechterfolge nicht fortsetzen und ist auf ›Ersatzbefriedigungen‹ angewiesen. Die große Bedeutung des Besitzes als »neuer Schöpfung« (S. 26), die intensive Beschäftigung mit Baumpflanzen und -propfen, die übertriebene Feier von Geburts- und Namenstagen, das aufwendige Nachstellen von ›lebenden Bildern‹, das Räsonnement gegenüber Affen und den »Affenwesen« (Inhaltsübersicht) und nicht zuletzt die lieblose Äußerung über Eduards »Flötendudelei« (S. 95), die der Hauptmann Charlotte gegenüber macht und die Ottilie Eduard nicht ohne Häme hinterträgt – all dies könnte von hier aus eine plausible Erklärung finden.

Das Ende des Romans zeigt, daß die ganze hektische Geschäftigkeit letztlich vergeblich ist, weil es keine Kinder gibt, die den Besitz übernehmen werden. Die melancholische Frage des Engländers, »Wer genießt jetzt meine Gebäude, meinen Park, meine Gärten?« (S. 196), stellt sich in verschärfter Weise für die weitläufigen Schloß- und Gartenanlagen, die die vier Freunde mit so viel Geld, Mühe, Geschmack und einer Heerschar von Hilfskräften und Bediensteten angelegt haben. Der Eindruck des »Geisterhaften« (S. 90), der sich Charlotte bereits sehr früh aufdrängt, deutet darauf hin, daß lange vor dem Untergang des Kindes, der tödlichen Anorexie Ottilies und dem theatralischen Nachsterben Eduards ein Bewußtsein dafür besteht, daß die Lebendigkeit aus den Figuren längst entwichen ist. Diese begegnen sich wie ›Familiengespenster‹ in einem tableau vivant, das dem bürgerlichen Trauerspiel nachgestellt und die ›toten Gesellschaften‹ und ›blutleeren Helden‹ des *Nachsommer* und des *Stechlin* vorwegzunehmen scheint.[2]

IV

Familiendesaster total

Dieser Eindruck der Unlebendigkeit geht aber nicht nur von den Männerfiguren – insbesondere von den drei Ottos – aus, sondern in gewisser Weise auch von Charlotte und Ottilie. Bereits ihre Namen machen sie zu von Männern abgeleiteten Figuren. Der Name Charl*otte* verweist nicht nur auf »Otto«, sondern noch auf einen weiteren männlichen Namen, während der Name *Ott*ilie sich allein von »Otto« herleitet.[3] Aufgrund der doppelten männlichen Konnotation von Charlottes Namen erstaunt es nicht, daß sie als die Tatkräftigere und Redegewandtere im Roman erscheint. Während Ottilie sich fast nie am Gespräch beteiligt, weiß sich Charlotte mit ›kühnen Wendungen‹ zu behaupten und ist auch ohne männlichen Beistand überlebensfähig. In dem »Bund« (S. 233) mit Ottilie ist sie die Führende. Das Selbstbewußtsein, mit dem Charlotte auftritt, hat jedoch seinen Preis. Eduard ist jedenfalls mehr von der schweigsamen Ottilie[4] als von seiner spitzzüngigen Frau angezogen:

»Des andern Morgen sagte Eduard zu Charlotten: ›Es ist ein angenehmes, unterhaltendes Mädchen.‹

›Unterhaltend?‹ versetzte Charlotte mit Lächeln; ›sie hat ja den Mund noch nicht aufgetan.‹

›So?‹ erwiderte Eduard, indem er sich zu besinnen schien, ›das wäre doch wunderbar!‹« (S. 46)

Ottilie in ihrer Zurückhaltung entspricht mehr dem Bild traditioneller Weiblichkeit als die redegewandte Charlotte. Sowohl der Gehülfe, der auf der Suche nach einer »einstimmenden Gattin« (S. 177) ist, als auch der Architekt, der Ottilie in seinen Madonnenbildern vervielfacht (S. 137), und last not least der Graf, der eine ›väterliche‹, von der Baronesse argwöhnisch betrachtete Neigung für Ottilie entwickelt (vgl. S. 178), sind von Ottilies hingebungsvoller Weiblichkeit begeistert. Ottilie hat all das im Übermaß, was Charlotte fehlt und was diese entschieden ablehnt. Nicht ohne Schärfe kritisiert sie die ihrer Meinung nach übertriebene »Dienstbarkeit«, die Ottilie vor allem Männern gegenüber an den Tag legt:

»Diese anständige Dienstbarkeit Ottiliens machte Charlotten viel Freude. Ein einziges, was ihr nicht ganz angemessen vorkam, verbarg sie Ottilien nicht. ›Es gehört‹, sagte sie eines Tages zu ihr, ›unter die lobenswürdigen Aufmerksamkeiten, daß wir uns schnell bücken, wenn jemand etwas aus der Hand fallen läßt, und es eilig aufzuheben suchen. Wir bekennen uns dadurch ihm gleichsam dienstpflichtig; nur ist in der größern Welt dabei zu bedenken, wem man eine solche Ergebenheit bezeigt. Gegen Frauen will ich dir darüber keine Gesetze vorschreiben. Du bist jung. Gegen Höhere und Ältere ist es Schuldigkeit, gegen deinesgleichen Artigkeit, gegen Jüngere und Niedere zeigt man sich dadurch menschlich und gut; nur will es einem Frauenzimmer nicht wohl geziemen, sich Männern auf diese Weise ergeben und dienstbar zu bezeigen.‹« (S. 49)

In gewisser Weise kommt jedoch auch Charlotte den Männern entgegen. Vor allem Eduard gegenüber agiert sie mit großer Nachsicht. Sie ist klug genug zu bemerken, daß sie trotz allem für ihren Mann eine immer noch viel zu selbständige Partnerin ist. Der Bau der »Mooshütte« (S. 7), den sie mit großem Aufwand betreibt, kann als Versuch verstanden werden, in der Beziehung zu Eduard jene erotische Atmosphäre künstlich zu erzeugen, die sich in der Begegnung zwischen Ottilie und Eduard so spontan herstellt. Die Unzufriedenheit Eduards – die Hütte ist ihm zu »eng«, die umgebende Landschaft nicht ›belebt genug‹ (S. 8) – signalisiert bereits am Anfang des Romans das Ungenügen, das er in der Beziehung empfindet und das er mit dem Pfropfen junger Bäume zu kompensieren sucht.

Mit der wechselseitigen und einvernehmlichen Aufnahme von Eduards Freund Otto und Charlottens Nichte Ottilie in die Zweierbeziehung versuchen beide eine Ehe zu beleben, die von Charlotte eher aus Entgegenkommen (vgl. S. 11), von Eduard mehr aus »Eigensinn« denn aus »Liebe« (S. 225) geschlossen worden ist. Die alte Leidenschaft ist längst erloschen, wenn sie denn überhaupt jemals bestanden hat. Obgleich »ungefähr von denselben Jahren« (S. 11) wie Eduard, fühlt sich Charlotte als Frau rascher gealtert, während Eduard nach ihrer Meinung gerade in die Jahre gekommen ist, »wo der Mann erst liebefähig und erst der Liebe wert wird« (S. 17). Die Assoziation »So war meine Mutter« (S. 17), die Eduard im Gespräch mit Charlotte spontan entschlüpft, und die Bemerkung des Erzählers, daß Eduard etwas »Kindliches« (S. 54, vgl. auch S. 14) habe, verweisen auf ein Gefälle in der Beziehung, das Eduard vergeblich zu seinen Gunsten zu verändern sucht, wenn er Charlotte im Eingangsgespräch etwas von oben herab als »liebes Kind« (S. 9) anspricht. Durch das Hinzukommen Ottiliens tritt dann eine Figur in die Runde, die Eduard das Überlegenheitsgefühl wieder zurückgibt, das ihm die mütterliche Charlotte vergeblich zu vermitteln sucht. Im Gegensatz zu Charlotte weiß sich Ottilie an den gemeinsamen Musikabenden »der Spielart Eduards anzupassen« (S. 62). Vor allem aber entzückt sie Eduard durch das Kopieren jener Texte, bei deren »Ab-

schrift« ihm ursprünglich Charlotte zu helfen versprochen hatte
(vgl. S. 12):

>»Endlich trat sie herein, glänzend von Liebenswürdigkeit. Das Ge-
fühl, etwas für den Freund getan zu haben, hatte ihr ganzes Wesen
über sich selbst gehoben. Sie legte das Original und die Abschrift
vor Eduard auf den Tisch. ›Wollen wir kollationieren?‹ sagte sie
lächelnd. Eduard wußte nicht, was er erwidern sollte. Er sah sie an,
er besah die Abschrift. Die ersten Blätter waren mit der größten
Sorgfalt, mit einer zarten weiblichen Hand geschrieben, dann schienen sich die Züge zu verändern, leichter und freier zu werden; aber
wie erstaunt war er, als er die letzten Seiten mit den Augen über-
lief! ›Um Gottes willen!‹ rief er aus, ›was ist das? Das ist meine
Hand!‹ Er sah Ottilien an und wieder auf die Blätter, besonders der
Schluß war ganz, als wenn er ihn selbst geschrieben hätte. Ottilie
schwieg, aber sie blickte ihm mit der größten Zufriedenheit in die
Augen. Eduard hob seine Arme empor: ›Du liebst mich!‹ rief er
aus, ›Ottilie, du liebst mich!‹ und sie hielten einander umfaßt. Wer
das andere zuerst ergriffen, wäre nicht zu unterscheiden gewesen.«
(S. 88 f.)

Zeitgleich zu dieser verqueren Szene, in der es nicht so sehr um
das Lieben, als vielmehr um das Geliebtwerden geht, ereignet
sich die Annäherung zwischen dem Hauptmann und Charlotte.
Anders als die narzißtische Selbstbespiegelungsszene zwischen
Eduard und Ottilie, in der die Frau nur Echo des Mannes sein
kann, basiert die Annäherung zwischen Charlotte und dem
Hauptmann zunächst auf der potentiellen Gleichberechtigung der
Partner. Bei einer gemeinsamen Kahnfahrt, die Eduard durch
seinen überstürzten Aufbruch ermöglicht, hält der Hauptmann
die Ruder zwar allein in der Hand, es erscheint ihm aber durchaus wünschenswert und vorstellbar, daß auch die Freundin das
Ruder ergreift: »Sie werde das selbst lernen, es sei eine ange-
nehme Empfindung, manchmal allein auf dem Wasser hinzu-
schwimmen und sein eigner Fähr- und Steuermann zu sein«
(S. 90). Charlotte nimmt diese Worte des Hauptmannes aber

nicht als Hochschätzung ihrer Person, sondern sie hört nur die Andeutung des Abschieds heraus: »Bei diesen Worten fiel der Freundin die bevorstehende Trennung aufs Herz. ›Sagt er das mit Vorsatz?‹ dachte sie bei sich selbst. ›Weiß er schon davon? vermutet ers? Oder sagt er es zufällig, so daß er mir bewußtlos mein Schicksal vorausverkündigt?‹« (ebd.) Die sonst so mutige Charlotte entwickelt plötzlich eine »Ängstlichkeit« (ebd.), die weder zu ihr noch zu der Situation paßt, aber dazu führt, daß der Hauptmann sich als ihr Retter bewähren kann:

> »Ihm blieb nichts übrig, als in das Wasser zu steigen, das seicht genug war, und die Freundin an das Land zu tragen. Glücklich brachte er die liebe Bürde hinüber, stark genug, um nicht zu schwanken oder ihr einige Sorgen zu geben; aber doch hatte sie ängstlich ihre Arme um seinen Hals geschlungen. Er hielt sie fest und drückte sie an sich. Erst auf einem Rasenabhang ließ er sie nieder, nicht ohne Bewegung und Verwirrung. Sie lag noch an seinem Halse; er schloß sie aufs neue in seine Arme und drückte einen lebhaften Kuß auf ihre Lippen; aber auch im Augenblick lag er zu ihren Füßen, drückte seinen Mund auf ihre Hand und rief: ›Charlotte, werden Sie mir vergeben?‹« (S. 90 f.)

Diese Szene hat nicht nur deshalb etwas Groteskes, weil Charlotte in ihr in die ›klassische‹ Weiblichkeitsrolle schlüpft, sondern vor allem, weil sie – was man freilich bei der ersten Lektüre noch nicht wissen kann – die Wiederholung einer Szene ist, die an späterer Stelle als »Begebenheit«, die sich angeblich »mit dem Hauptmann und einer Nachbarin wirklich zugetragen« (S. 205) hat, im Roman erzählt wird. Mit wem auch immer der Hauptmann in der Novelle *Die wunderlichen Nachbarskinder* identisch gewesen sein mag, die ›Rettung‹ Charlottes fällt gegen die abenteuerliche Rettungsszene in der Novelle entschieden ab: Aus dem »großen Strome« ist ein ›seichtes Gewässer‹ geworden, aus dem »wohl ausgeschmückten Schiff« ein schlichter Kahn, aus der »schönen Beute« eine »liebe Bürde« und aus dem

abenteuerlichen, mit dichten Büschen bewachsenen Rettungs-
platz ein »Rasenabhang«. So erstaunt es nicht, daß in der verschobenen Wiederholungsszene sich die Liebenden trennen statt
sich zu vereinigen. Der Hauptmann schwächt den »lebhaften
Kuß« in einen unverfänglichen Handkuß ab, wahrt das abstand-
heischende Sie, bittet um Vergebung für die Übertretung der
gesellschaftlichen Etikette und begibt sich gleichsam in die
›Warteposition‹, aus der ihn nur die Aktivität Charlottes befreien
könnte. Anders als die kämpferische Nachbarstochter in der
»Novelle«, die die Initiative ergreift, sich dem Geliebten mit
einem entschlossenen »›Wir wollen zusammenbleiben‹« (S. 206)
an den Hals wirft, schreckt Charlotte vor einer solchen amazoni-
schen Geste zurück und zieht sich statt dessen auf die Position
der Mutter, am Ende gar der Großmutter zurück.

> »Der Kuß, den der Freund gewagt, den sie ihm beinahe zurückgege-
> ben, brachte Charlotten wieder zu sich selbst. Sie drückte seine
> Hand, aber sie hob ihn nicht auf. Doch indem sie sich zu ihm hin-
> unterneigte und eine Hand auf seine Schultern legte, rief sie aus:
> »Daß dieser Augenblick in unserm Leben Epoche mache, können
> wir nicht verhindern; aber daß sie unser wert sei, hängt von uns ab.
> Sie müssen scheiden, lieber Freund, und Sie werden scheiden [...]
> Nur insofern kann ich Ihnen, kann ich mir verzeihen, wenn wir den
> Mut haben, unsre Lage zu ändern, da es von uns nicht abhängt,
> unsre Gesinnung zu ändern.« Sie hub ihn auf und ergriff seinen
> Arm, um sich darauf zu stützen, und so kamen sie stillschweigend
> nach dem Schlosse.« (S. 91)

Wenn man die beiden ›Liebesszenen‹ vergleicht, fällt auf, daß
das Thema ›Original‹ und ›Kopie‹ in beiden Szenen – einmal
ganz offen, das andere Mal eher verdeckt – behandelt wird. Der
Eindruck des »Geisterhaften« (S. 90), der Charlotte bei der
Kahnfahrt mit dem Hauptmann beschleicht, mag mit ihrem
feinen Gespür dafür zusammenhängen, daß sich etwas ereignen
wird, das nur eine fade Wiederholung und angesichts des fort-

geschrittenen Alters beider Beteiligten eher peinliche Repetition alter Muster ist. Die Ängstlichkeit Charlottes ist ebenso disfunktional wie das Zaudern des Hauptmanns, von dem man aufgrund seiner soldatischen Herkunft mehr ›Angriffslust‹ erwartet hätte. Aber gerade in diesem Zaudern erweist er sich als Doppelgänger des Bräutigams in der »Novelle«.

Die Szene zwischen Eduard und Ottilie ist noch gespenstischer, nicht zuletzt deshalb, weil beide es gar nicht merken: Ottilie kopiert Manuskripte Eduards, die – wie Charlotte kritisch meint – erst durch eine sorgfältige Bearbeitung »ein erfreuliches Ganzes« (S. 12) werden könnten. Ottilie verschwendet ihre Zeit also an die bloße Wiederholung wirrer Aufzeichnungen. Eduard aber fühlt sich geschmeichelt, daß sich Ottilie so hingebungsvoll »für ihn beschäftigt« (S. 84) und deutet die Verdoppelung seiner Handschrift als untrüglichen Liebesbeweis.

In beiden Fällen wird die Frage des ›Originals‹ vom Erzähler gezielt ins Zwielicht gerückt. Das gilt für die »verworrenen Hefte und Blätter« (S. 12) Eduards von seinen Reisen, die Ottilie als Vorlage für ihr Kopieren dienen wie für die vom Engländer erzählte »Novelle«, in der nach Meinung des Erzählers oder Charlottes – wer an dieser Stelle eigentlich spricht, ist nicht zu entscheiden – »alles und nichts« so geblieben ist, »wie es war«. (S. 207)

Die beiden Liebesszenen – wenn man sie unter der hier vorgeschlagenen Perspektive von ›Original‹ und ›Kopie‹ liest – rücken nicht nur die beiden Männer ins Zwielicht, sondern sie werfen auch ein merkwürdiges Licht auf die beiden Frauenfiguren. Das, was auf den ersten Blick so rührend naiv und vorbildlich sittlich erscheint – die kindliche Freude Ottilies, »etwas für den Freund getan zu haben« (S. 88), und die matronenhafte Entsagung, die sich Charlotte auferlegt, führen letztlich zur Verfehlung des anderen. Es sind – so lassen sich die Interpretationsergebnisse zusammenfassend zuspitzen – nicht der ›Zufall‹ und keine ›Naturgesetze‹[5], die die Figuren aufeinander zu- und wieder voneinander wegtreiben lassen, sondern es sind die ›Übererfüllung‹ der weiblichen und die ›Untererfüllung‹ der männlichen Geschlechterrollen, die weder aus Eduard alias Otto & Ottilie noch aus dem Hauptmann alias Otto & Charlotte Paare werden lassen. Die zwanghafte Verstrickung in Geschlechtermuster, in denen Aktivität und Passivität stereotyp geschlechtsspezifisch aufgeteilt sind, führt zum Untergang der Figuren und zur Auslöschung ganzer Geschlechterketten. Die Geschlechterrollen, die von den Figuren – auch und gerade wenn sie sie verfehlen – bestätigt und vom Erzähler, der freilich keine unangefochtene Instanz im Roman ist, als wesensmäßige festgeschrieben werden (vgl. S. 171), entwickeln im Roman eine solche selbstzerstörerische Kraft, daß die Reproduktion der Gattung nicht mehr gewährleistet ist: »Familiendesaster«[6] total.

V

Das traurige Los der Junggesellen

Wenn man den Blick von den vier Hauptfiguren abwendet und die Aufmerksamkeit auf die Nebenfiguren – insbesondere auf den Gehülfen und den Architekten – richtet, erscheinen die »Familiendesaster« in einem noch anderen Licht als bisher. Unter der heterosexuellen Matrix, die dem Roman als Erzählmuster unterlegt ist, wird eine homosoziale Struktur[7] sichtbar, von der aus sich die Frage nach den Geschlechterverhältnissen und der Geschlechterfolge neu stellen läßt. Interessant ist in diesem Zusammenhang der apodiktische Ausspruch »Der Mann verlangt den Mann« (S. 174), der von dem Gehülfen in einem Gespräch mit Charlotte und Ottilie formuliert wird. In dem Gespräch, in dem es um die richtige Erziehung von Knaben und Mädchen geht, vertritt der Gehülfe ein Erziehungsprogramm, das auf der rigiden Trennung der Geschlechter basiert. Für die Knaben fordert der Gehülfe eine strenge soldatische Ausbildung. Die Mädchen dagegen sollen ausschließlich auf ihre spätere Rolle als Mütter vorbereitet werden. Im Gegensatz zu den Knaben, die stets Uniform tragen müssen, sollen Mädchen »mannigfaltig gekleidet gehen, jede nach eigner Art und Weise, damit eine jede fühlen lernte, was ihr eigentlich gut stehe und wohl zieme« (S. 174). Für die freie Kleiderwahl der Mädchen spricht sich der Gehülfe vor allem deswegen aus, weil Frauen seiner Meinung nach dazu bestimmt seien, »ihr ganzes Leben allein zu stehen und allein zu handeln« (ebd.). Auf den Einwand Charlottes, daß ihr dieses Argument »paradox« erscheine, weil Frauen »doch fast niemals allein« (ebd.) seien, erwidert der Gehülfe:

»›[...] Man betrachte ein Frauenzimmer als Liebende, als Braut, als Frau, Hausfrau und Mutter, immer steht sie isoliert, immer ist sie allein und will allein sein [...] Jede Frau schließt die andere aus, ihrer Natur nach; denn von jeder wird alles gefordert, was dem ganzen Geschlechte zu leisten obliegt. Nicht so verhält es sich mit den Männern. Der Mann verlangt den Mann; er würde sich einen zweiten erschaffen, wenn es keinen gäbe; eine Frau könnte eine Ewigkeit leben, ohne daran zu denken, sich ihresgleichen hervorzubringen.‹« (S. 174)

Der homosoziale Grundtenor der Argumentation ist unüberhörbar. Die Frau wird auf ihre Funktion als Mutter reduziert und von den anderen Frauen und den Männern isoliert. Ihre Aufgabe, den künftigen Nachwuchs der Gesellschaft (Soldaten und neue Mütter) zu reproduzieren, kann sie am besten erfüllen, wenn sie sich ausschließlich darauf konzentriert. Für eine von dieser Aufgabe unabhängige Beziehung zum Mann ist in der Vorstellungswelt des Gehülfen kein Platz. Die Männer, die sich in männerbündischen Formationen am wohlsten fühlen[8], brauchen die Frauen auch gar nicht – außer zur Erzeugung des Nachwuchses.

In gewisser Weise wird die Meinung des Gehülfen von der Konstruktion des Romans mit den doppelten Ottos bestätigt.

Eduard braucht den Hauptmann ebenso wie er auf den Grafen angewiesen ist, um sich als Begehrender überhaupt revitalisieren zu können. Was aber ist das Begehren des Gehülfen? Sein Versuch, Ottilie als »Gehülfin« und »einstimmende Gattin« (S. 177) für sein dubioses Erziehungsprojekt zu gewinnen, scheitert – abgesehen von Ottilies Desinteresse – an seiner verklemmten Haltung Frauen gegenüber. Im Grunde genommen ist er ein Zölibateur, der nicht die Frau braucht, sondern den Mann sucht. In abgewandelter Form gilt das auch für den Architekten, für den Ottilie das Vorbild der »Madonna« schlechthin ist, vor der jedes geschlechtliche Begehren zur Ruhe zu kommen hat. Die monomanische Besessenheit, mit der er Ottilies Gesicht in den »Engelgesichtern« beim Ausmalen der Kirche vervielfältigt (S. 136) und seine aufwendige Installation, in der Ottilie als Madonna mit dem Kind posiert, er selbst sich aber als Hirte im Hintergrund hält (S. 169), bestätigt das vom Gehülfen vertretene Geschlechtermodell, in der die Beziehung zwischen Mann und Frau ausschließlich auf die Erzeugung des Nachwuchses konzentriert ist, so »daß alles Licht vom Kinde ausgeht« (S. 168).

Es überrascht nicht, daß der Architekt ebenso wie der Gehülfe keine erfolgreichen Bewerber um Ottilies Hand sind. Mit einer bestickten Weste als Abschiedsgeschenk (S. 171) wird der Architekt von den Frauen entlassen, um dem Gehülfen Platz zu machen, dessen »Hoffnungen« (S. 185), Ottilie für sich gewinnen zu können, ebenfalls völlig illusionär sind. Das frühzeitige Verschwinden aus dem Roman erspart den beiden Männern zwar das Miterleben von Ottilies Hungertod, es zeigt aber, daß auch sie das ›Romanziel‹ verfehlt haben. Als Junggesellen bleiben sie von der Reproduktion der Gattung ebenso ausgeschlossen wie die vier Hauptfiguren. Es gibt keinen Anhaltspunkt dafür, daß sie Familien gründen werden. Der Gehülfe wird die Kinder anderer Paare erziehen und der Architekt wird Häuser für fremde Familien bauen.

Der Roman erzählt das Aussterben der ›ottonischen‹ Linie mit einer Konsequenz, die um so unbarmherziger wirkt, als im Gegensatz zu dem unglücklichen Knaben Otto (S. 222) der namenlose Knabe aus dem Volk gemeinsam vom Hauptmann und dem Chirurgus vor dem Ertrinkungstod (S. 102) gerettet wird. Wenn man das »schöne, blasse Kind« (S. 165) hinzunimmt, das in der Madonna-mit-Kind-Inszenierung in Ottilies Armen selig schlummert, dann drängt sich der Eindruck auf, daß allein die Kinder aus dem Volke überlebensfähig sind. Von hier aus könnte der Roman als bitterer gesellschaftskritischer Kommentar des Autors Goethe zum Untergang einer alten, steril gewordenen Klasse und zum Aufstieg einer neuen ›unverbrauchten‹ Klasse gelesen werden.[9]

Anmerkungen

Die Zitate werden im folgenden direkt im Text nachgewiesen. Textgrundlage: Goethe, Johann Wolfgang: Die Wahlverwandtschaften. Ein Roman. München 1980 (dtv/identisch mit dem 6. Bd. der ›Hamburger Ausgabe‹, 9. überarb. Aufl. 1977).
Von der Forschung zu den *Wahlverwandtschaften* habe ich mit besonderem Gewinn folgende Arbeiten gelesen:
Benjamin, W. (1977): Goethes Wahlverwandtschaften. In: ders.: Gesammelte Schriften. Hg. v. Thiedemann, R. & Schweppenhäuser, H. Bd. 1,1, Frankfurt/ M., S. 123–201.
Bolz, N. W. (Hg.) (1981): Goethes Wahlverwandtschaften. Kritische Modelle und Diskursanalysen zum Mythos Literatur. Hildesheim.
Hörisch, J. (1992): Die andere Goethe-Zeit. München.
Bersier, G. (1997): Goethes Rätselparodie der Romantik: Eine neue Lesart der »Wahlverwandtschaften«. Tübingen.
Eine erste Einführung bietet das Goethe-Handbuch in 4 Bd., Hg. v. Witte, B. u. a. (Bd. 3, S. 152–186) Stuttgart 1997.

1 Vgl. zum parasitären Status des Gastes die Studie von Serres, M. (1987): Der Parasit. Frankfurt/M. und demnächst die Arbeit von Bürner-Kotzam, R. (1998): Vertraute Gäste – Befremdende Begegnungen in Texten des bürgerlichen Realismus. Diss. phil. Berlin (Humboldt-Universität).

2 Vgl. Kolbe, J. (1968): Goethes Wahlverwandtschaften und der Roman des 19. Jahrhunderts. Stuttgart.

3 Vgl. zur ›Alchemie der Namen‹ die Aufsätze von Schlaffer, H. (1981): Namen und Buchstaben in Goethes Wahlverwandtschaften. In: Bolz, N. W. (Hg.): Goethes Wahlverwandtschaften. Kritische Modelle und Diskursanalysen zum Mythos Literatur. Hildesheim, S. 211–230; Oellers, N. (1982): Warum eigentlich Eduard? Zur Namen-Wahl in Goethes »Wahlverwandtschaften«. In: Genio Huius Loci: Dank an Leiva Petersen. Hg. v. Kuhn, D. & Zeller, B., Köln, S. 215–235.

4 S. Kaempfer, W. (1992): Das Schweigen Ottilies. In: Kamper, D. & Wulf, Chr. (Hg.): Schweigen. Unterbrechung und Grenze der menschlichen Wirklichkeit. Berlin, S. 217–224.

5 Vgl. Michelsen, P. (1996): Wie frei ist der Mensch? Über Notwendigkeit und Freiheit in Goethes »Wahlverwandtschaften«. In: Goethe-Jahrbuch, Bd. 113, S. 140–160.

6 Vgl. zum Begriff ›Familiendesaster‹ die schöne Arbeit von Matt, P. von (1995): Verkommene Söhne, mißratene Töchter. Familiendesaster in der Literatur. München u. Wien.

7 Zum Begriff der ›Homosozialität‹ vgl. Sedgwick, E. (1985): Between Men. New York; dies. (1990): Epistemology of the Closet. Berkeley u. Los Angeles. Siehe auch Erhart, W. & Herrmann, B. (Hg.) (1997): Wann ist der Mann ein Mann? Zur Geschichte der Männlichkeit. Stuttgart.

8 Zum ›Männerbund‹ vgl. Theweleit, K. (1994): Buch der Könige. Bd. 2x. Frankfurt/M.

9 Vgl. Vaget, H. R. (1980): Ein reicher Baron. Zum sozialgeschichtlichen Gehalt der »Wahlverwandtschaften«. In: Jahrbuch der deutschen Schiller-Gesellschaft, Bd. 24, S. 123–161; Gilli, M. (1989): Das Verschweigen der Geschichte in Goethes »Wahlverwandtschaften«. In: »Sie und nicht wir«. Die Französische Revolution und ihre Wirkung auf Norddeutschland und das Reich. Hg. v. Herzig, A. u. a. Hamburg, S. 553–566.

Hermann Beland

»Und doch läßt sich die Gegenwart ihr ungeheures Recht nicht rauben«[1]

Zur Problematik eines zentralen Symbols in Goethes *Wahlverwandtschaften*

Eine enorme geistige Energie ist in den *Wahlverwandtschaften* wirksam, die eine denkbar große Zahl von Gegensätzen präsent hält, in deren Spannung das gesellschaftliche und individuelle Leben verläuft und in die der Leser unmerklich hineingezogen wird. Ihn bezaubert eine Sprache, der anscheinend nichts unsagbar ist, während er zugleich nicht merkt, was alles durch den Bann dieser Sprache, die sogar die gesellschaftliche Sprachlosigkeit auszudrücken vermag, verschwiegen, vermieden, verhüllt, nur angedeutet oder vieldeutig gehalten wird, während er mit dem Ungesagten im Kontakt bleibt. Je größer die Zahl der vermittelten Gegensätze ist, aber auch, je deutlicher die Anwesenheit psychotischer Lösungen ist, desto größer der Realitätsgehalt einer Fiktion. Und je länger man sich mit den Wahlverwandtschaften beschäftigt, desto glaubhafter wird Goethes eigene Beurteilung gegenüber jener älteren Dame, die sich so enttäuscht über sein neues Buch geäußert hatte: »Wie schade! Es ist doch das Beste, das ich geschrieben habe!«

Unter den Gegensatzpaaren, die das Leben der Romanpersonen beherrschen und zu zerreißen drohen, scheinen mir zwei Paare vom Erzähler an die Spitze der Hierarchie der Wichtigkeiten gestellt zu sein, die auch für die Interpretation eines

---

[1] Gisela Greve zu Ehren

Psychoanalytikers besonders aufschlußreich sind. Ich meine das Verhältnis von Narzißmus und Sozialismus (im Sinne von Sozialfähigkeit, Objektbeziehung) und das Verhältnis von Realismus zu psychotischem Denken. Betrifft das erstere die Frage nach der Qualität der Liebe, die die vier Personen leisten und sich wünschen, die Frage des psychischen Wachstums in der Liebe, so betrifft der zweite Gegensatz die Wahrheitsfrage, die Wirklichkeitsbeziehung als wissenschaftliche Beziehung, wie rudimentär auch immer. Die Qualität der Wirklichkeitsbeziehung beweist sich in der Toleranz für die eigene psychische Wirklichkeit, in der Toleranz dafür, um es mit Beckett zu sagen, »Wie es ist«.

Die vier Pole Narzißmus – Objektbeziehung, Realitätstreue – Verleugnung kann man ebenfalls dem Analogietest der chemischen Wahlverwandtschaften aussetzen und wird es nicht erstaunlich finden, daß auch hier eine größere Affinität von gesteigertem Narzißmus zu psychotischem Denken besteht, wie zwischen Eduard und Ottilie, und daß überwiegende Objekttoleranz eher mit größerer Realitätstreue einhergeht. Ganz realistisch jedoch wird das Bild, wenn man sich daran erinnert, daß die vier erwähnten Tendenzen jeden Menschen wie auch jede Gesellschaft betreffen, und ihr Mehr oder Weniger und das Wechselverhältnis beider Gegensatzpaare die Qualität des Lebens ausmachen.

Man bekommt also schon aus dem Titel des Romans einen Wink, daß es sich bei den Wahlverwandtschaften nach chemischer Analogie weder primär um einen Ehe-, noch um einen Ehebruchsroman handelt, wohl aber um einen Roman, der die bewußten und unbewußten Auffassungen von Verbindungstauglichkeit, einschließlich der individuellen wie der kollektiven Beliefs, Ideologien und Überzeugungen und deren enorme Wirksamkeiten, also *das gesamte Wirklichkeitsverhältnis unter den Bedingungen von Liebe und Ehegesetz* zum Gegenstand hat. Was tatsächlich gewählt wird, sind Wirklichkeitsverhältnisse.

Wie aber wäre der nächste Schritt zu beurteilen, wenn alle Personen des Romans die Bindungen und Trennungen *eines* Menschen symbolisierten, und das Romangeschehen die kritische Entwicklungsphase *eines* Menschen abbildete? Verblüffenderweise wäre auch diese Deutungsmöglichkeit nicht absurd, aber der Wirklichkeitsgehalt verdünnt sich unter diesem Deutungsexperiment beträchtlich. Nein, dieser eine Mensch hieße dann auch nicht etwa Goethe, obwohl doch alles Beschriebene von Goethe erlebt worden sein soll, wenn auch nichts so, wie es beschrieben wurde. Ich will diesen Weg deshalb hier nicht weiterverfolgen. Man muß mit der Deutung den Ort der größten Wirklichkeitsdichte suchen, dieser Grundsatz scheint jeder Analysestunde wie auch dem Umgang mit jedem Kunstwerk am besten zu entsprechen, und sowohl dem Interpreten wie dem Gedeuteten am besten zu bekommen. Nicht nur im Denken einer Geistesstörung, nicht nur in der Ehe, wie es der Roman darstellt, auch bei der Interpretation, wie im Wissenschaftsbetrieb überhaupt, kann der Narzißmus rücksichtslos mit dem Objekt verfahren und psychotisches Denken die Wirklichkeit des Denkenden überwältigen. Was geschieht in allen diesen Fällen? Es entstehen psychotische Gebilde auf unterschiedlichen Ebenen mit unterschiedlicher Zerstörungskraft. Im Roman wird die Zeugung eines Kindes beschrieben, während der und durch die eine wahnhafte Überzeugung entstand, die bis auf die Ebene des Erzählers, des geschriebenen Wortes und bis in das aufnehmende Denken des Lesers durchschlägt. Es kommt zu einer psychotischen Interpretation, und damit zum Schlimmsten, was einem Interpreten passieren kann. Es kommt zu dem psychotischen Symbol des Kindes mit den ebenbildlichen Zügen der verkehrten Geliebten. Dann aber »läßt sich die Gegenwart ihr ungeheures Recht nicht rauben.«

Der Satz vom ungeheuren Recht der Gegenwart ist ein Kommentar des Erzählers, vielleicht ähnlich zu verstehen wie der begleitende Chorgesang der Alten in einer griechischen Tragödie. Er steht mitten in der Geschichte der Zeugung und kommentiert sie. Er ist ein sprachliches Gebilde, wie es wahrscheinlich nur von Goethe erschaffen werden konnte. Die Bedeutung des Satzes ist dabei durchaus nicht sofort evident. Er soll uns im folgenden weiter beschäftigen, weil er die Entstehung des psychotischen Symbols, wie ich es genannt habe, kommentiert, was in einem Roman, der psychische und gesellschaftliche Realität beschreibt, keine Harmlosigkeit sein kann. Die Sache ist im Gegenteil so gravierend, daß man, so denke ich, fragen muß, weshalb Goethe ein verrücktes Symbol in den Roman eingefügt hat, das dann alle Wahlverwandten in die Katastrophe begleitet. Das Symbol muß eine ebenso außerordentliche Funktion haben, wie es selbst außerordentlich ist. Es könnte zu den tiefsten Ebenen der Mentalität der vier Hauptpersonen gehören, es könnte die ablaufenden Wahlverwandtschaften interpretieren, es könnte so etwas wie ein negatives Sakrament von Partnerbeziehungen sein. Sakramentales Denken versucht Symbole auf einer protomentalen Denkebene zu bilden, auf der Denken und Sein gleichgesetzt wird. Das ist bei des Kindes doppelter Ebenbildlichkeit mit den verkehrten Eltern des Kindes der Fall.

Bevor ich das Symbol des zweifachen Ebenbilds näher untersuche, möchte ich zuvor ein einfaches Symbol beleuchten, das nicht psychotisch gebildet ist, aber aus derselben Spannung der gegensätzlichen Tendenzen Narzißmus-Objektbeziehung und Realismus-Verleugnung entsteht und ebenfalls auf die zentralen Fragen antwortet, ob seelisches Wachstum unter der Bedingung von Liebe und Leidenschaft und ob Selbsterkenntnis und Verständnis des anderen unter dieser Bedingung möglich sind. Es ist das Symbol des Tintenflecks.

Der Tintenfleck als Symbol

»Nichts ist bedeutender in jedem Zustande,« so begründet Charlotte ihre unguten Ahnungen gegenüber dem Wunsch ihres Mannes, seinen Freund für längere Zeit einzuladen, »als die Dazwischenkunft eines Dritten.« Ein derartiger Satz muß psychoanalytisch geschultes Denken aufmerken lassen. Die ödipale Organisation des Denkens und Erlebens scheint gemeint und ausgesprochen. Nichts ist bedeutender für ein Paar als die »Dazwischenkunft« eines Kindes, nichts verändert das Verhältnis von Freunden, Geschwistern, Liebenden, Gatten so umwälzend wie das Hinzukommen einer neuen Person. Warum das so ist? »Es sind meistenteils unbewußte Erinnerungen glücklicher und unglücklicher Folgen,« sagt Charlotte weiter, um zu begründen, weshalb sie auf ihre unguten Ahnungen achten möchte, »die wir an eigenen oder fremden Handlungen erlebt haben« (I 1, S. 16). Auch diese Feststellung ist allgemeingültig. Die Geschichte jedes Menschen, bestehend aus glücklichen und unglücklichen Folgen, hat angefangen mit den guten und schlechten Erfahrungen in der Position des Dritten, mit der Verarbeitung von Hunger, Eifersucht, Befriedigung und Dankbarkeit. Und, was die Dichter immer behandelt und die Philosophen vermutet haben, was jedoch erst in den vergangenen Jahrzehnten geprüftes Erfahrungswissen der Psychoanalyse geworden ist, es ist die Position des Dritten im Denken der Mutter, die die Fähigkeit des Kindes beseelt, sich und andere Menschen und überhaupt etwas zu verstehen. Ja, man kann sagen, daß alles geistige Wachstum und ein großer Teil aller Zerstörung unter Menschen mit der Dazwischenkunft eines Dritten zusammenhängt. Es muß viel über Charlotte aussagen, daß der Erzähler ihre Klugheit mit dieser Zentralaussage betraut und sie dadurch charakterisiert. Sie hat offenbar viel nachgedacht und entdeckt. Sie kennt die Zerreißkraft des Dritten besser als die Wachstumskraft und wird vergeblich an ihrer Meinung festhalten, – der Erzähler spricht sogar von ihrem Wahn – und mit aller Zähigkeit versuchen, daß »etwas gewaltsam Entbundenes wieder in die frühere Enge« zurückzubringen sei (I 13, S. 92). Charlotte kennt nämlich den Hauptmann und seine Geschichte. Wir erfahren aus ihrer Reaktion auf die Erzählung über »Die wunderlichen Nachbarskinder«, daß der Hauptmann als eines der beiden Nachbarskinder schon einmal in umwälzender Weise als Dritter aufgetreten ist und den Beweis geliefert hatte, daß er die Liebe der Braut eines anderen erwidern und mit ihr – wenigstens für eine bestimmte Zeit – glücklich sein kann. Die Geschichte jener Nachbarskinder mobilisiert die romantischen Tagträume von Liebe stark wie der Tod und von Liebesbeweisen durch Lebensrettung. Das ist der Hintergrund von Charlottes Ahnungen. Aber sie sagt nichts davon. Heimlich wäre auch sie gerne und unbedingt eine durch Liebe Gerettete. Zwar hatte jene Braut die rettende Liebe ihres Geliebten durch ihren verzweifelten Sprung in den reißenden Strom erpreßt, was kaum eine gute Bedingung einer Liebesgemeinschaft sein wird. Wir erfahren auch nichts über den letztendlichen Ausgang jener Ehe. Wir erfahren jedoch den Anfang, den Benjamin zum Symbol wahrer Liebe erhoben hat. Beide Nachbarskinder haben sich von den Fesseln der Sitte und des Gesetzes losgerissen, um nicht in leeren Eheverhältnissen zugrunde zu gehen. Beide haben nach dem vierten der Schleiermacherschen Gebote aus seinem Katechismus der Vernunft für edle Frauen gehandelt: »Merke auf den Sabbat deines Herzens, daß du ihn feierst, und wenn sie dich halten, so reiße dich los oder gehe zugrunde.« Benjamin (1924) ontologisiert den erpresserischen Todessprung als Ausdruck einer Liebe, die, »weil sie um wahrer Versöhnung willen das Leben wagt, sie erlangt und mit ihr den Frieden, in dem ihr Liebesbund dauert« (it 1639, S. 316). Aber das ist gerade Charlottes Problem. Sie wird nie springen. Sie wird auch im Benjaminschen Sinne, d. h. nicht-erpresserisch nie springen. Sie lebt zwar gerne, aber sie hat zu große Angst vor jedem Sprung heraus aus dem Schutzraum von Sitte, schonungsvoller Gemeinschaft und finanzieller Sicherheit. Später wird sie aussprechen, was sie jetzt höchstens ahnt, daß sie in die Ehe mit Eduard eingewilligt hat, weil sie »den Eigensinn eines Mannes nicht von wahrer Liebe unterscheiden« konnte. Aber sie läßt sich, wie zu ihrer Ehe, von Eduard dazu bereden, ihren Ahnungen nicht zu folgen. In Wahrheit ist sie selber ambivalent gegenüber ihren Ahnungen, hat neben ihrer ängstlichen Vernunft unterdrückte Wünsche und unterdrücktes Wissen. Sie willigt ein, den Hauptmann einzuladen.

»Eduard versicherte seine Gattin auf die anmutigste Weise der lebhaftesten Dankbarkeit. Er eilte mit freiem, frohem Gemüt, seinem Freunde Vorschläge schriftlich zu tun. Charlotte mußte in einer Nachschrift ihren Beifall eigenhändig hinzufügen, ihre freundschaftlichen Bitten mit den seinigen vereinigen. Sie schrieb mit gewandter Feder gefällig und verbindlich, aber doch mit einer Art von Hast, die ihr sonst nicht gewöhnlich war; und was ihr nicht leicht begegnete, sie verunstaltete das Papier zuletzt mit einem Tintenfleck, der sie ärgerlich machte und nur größer wurde, indem sie ihn wegwischen wollte. Eduard scherzte darüber, und weil noch Platz war, fügte er eine zweite Nachschrift hinzu: der Freund solle aus diesen Zeichen die Ungeduld sehen, womit er erwartet werde, und nach der Eile, womit der Brief geschrieben, die Eilfertigkeit seiner Reise einrichten.« (I 2, S. 25)

Da ist er also, der ärgerlich verräterische Fleck, den alle sofort zu deuten verstehen, der vom Erzähler zum Symbol des unterdrückten Wissens und Wollens erhoben ist, ein erster Vertreter des ungeheuren Rechts der Gegenwart, ein Vertreter der sozialen Realität und ihrer Sanktionen und vor allem ein Vertreter der psychischen Realität und ihrer Gesetze.

Ich hoffe, es verwundert Sie nicht, wenn ich Goethes Worten jede wichtige Erkenntnis der heutigen Psychoanalyse zueigne. Goethes Wahrnehmungsfähigkeit für unbewußte Prozesse war ganz außerordentlich. Einer der Gründe, weshalb wir uns immer noch mit Gewinn mit seinem Werk beschäftigen, dürfte in dieser Tatsache begründet sein. Seine Gestalten sind darin modern, daß sie wie wir die ökonomischen und gesellschaftlichen Gesetzmäßigkeiten der Zeit als organisiert unbewußtes Denken, d.h. als symptomatisches, narzißtisches und psychotisches Denken verinnerlicht und familiär verarbeitet haben. Die Psychopathologie des Alltagslebens, Freuds ärgerlicher Geniestreich, mit dem er die Allgegenwart des Unbewußten und Verdrängten derart unwidersprechlich nachgewiesen hatte, daß sein Name zur Strafe an alle Fehlleistungen geklebt wurde, suggerierend, daß es auch andere als Freudsche Fehlleistungen und also doch keine Allgegenwart des Unbewußten gäbe, die Psychopathologie des Alltagslebens als Phänomen dürfte schließlich so alt sein wie die Menschheit, d.h. sie dürfte existieren, seit die notwendige Schranke zwischen dem Unbewußten und dem Bewußten errichtet wurde. Freud hatte seinem Buch passenderweise ein Motto von Goethe vorangestellt: »Nun ist die Luft von solchem Spuk so voll/Daß niemand weiß, wie er ihn meiden soll« (Faust II,V).

Tinte ist ein Botenstoff, Rohmaterial aller Buchstaben, Liebesbriefe, Gesetze, Bibliotheken. Aber ein Tintenfleck scheint von einem Liebesbrief semiotisch so weit entfernt zu sein, wie das Getöse eines Wasserfalls von einer Sinfonie. Eduard gibt dem Tintenfleck als Zeichen, als Symbol, als besonderem Container sofort die richtige sprachliche Übersetzung, die allerdings so weit gefaßt ist, daß die bewußtseinsfähigen unterdrückten Hoffnungen unter der Wahrheit besonders gut versteckt sind: der weggewischt vergrößerte Fleck bedeutet die *sichtbare Ungeduld*, mit der er, der Adressat des Tintenflecks, erwartet werde. Ich nehme an (und fasse damit alles über die Ahnungen Charlottes Gesagte zusammen), der Tintenklecks schreibt einen unbewußten Liebesbrief Charlottes an den Hauptmann, der unbewußt und ungeduldig herbeigewünscht wird *als Vater eines gemeinsamen Kindes*. In der unbewußten Phantasie vertritt das Versehen Charlottes vermutlich sowohl den Wunsch nach dem Austausch aller körperlichen Sekrete, die für die Entstehung und Erhaltung eines Kindes nötig sind wie Menstruationsblut, Genitalsekrete, Samenflüssigkeit, Fruchtwasser, Schweiß und Milch als auch den Gegenwunsch im Wegwischen, die Erniedrigung dieser auf ein Kind bezogenen Substanzen und Handlungen zu Kot und Urin, zu Nicht-Wachstum und Nicht-Sinn.

Der Tintenfleck als Symbol des Wunsches nach einem Mann, der ein Vater eines gemeinsamen Kindes zu sein vermag, findet im Roman seine problematische Fortsetzung in einigen anderen symbolischen Darstellungen, die ihre Bedeutung charakteristischerweise sämtlich in einer anderen Semiotik als der der Sprache zum Ausdruck bringen müssen. Die Zeiten und Verhältnisse waren und sind leider so, daß fehlende oder pathologische Väterlichkeit und Mütterlichkeit statistisch und familär überwiegen und als solche im gesellschaftlichen Bewußtsein *nicht sprachlich repräsentiert sind.* Was tut Goethe? Er erfindet Symbole der Sprachlosigkeit, Tintenflecke, Tableaus und das psychotische Symbol des doppelt ebenbildlichen Kindes. Die Lacansche Richtung der Psychoanalyse, die die geistige Gesundheit jedes Menschen von der erfolgreichen »Dazwischenkunft« dieses Dritten, des Vaters in diesem Falle, abhängig sieht, um ihn, den neugeborenen Menschen in der Verstehbarkeit der symbolischen Ordnung sicher zu verankern, unterstreicht den Rang dieses Phänomens.

Charlotte wird schwanger, aber obwohl sie in ihrer Phantasie mit dem Hauptmann sexuell zusammen war, schwankt sie, im Gegensatz zu ihrem Mann, keinen Moment in ihrem Realitätsbewußtsein, als sie merkt, daß sie schwanger ist. Der reale Erzeuger ihres Kindes, Eduard, dillettiert zwar in allen möglichen Bereichen, aber einen Konflikt mit einem wirklich väterlichen Altruismus hat sein Narzißmus nicht einmal begonnen einzugehen und auszuhalten. Erst die Liebe zu Ottilie wird während seiner Anorexie einen Teil seines außerordentlichen Narzißmus absterben lassen. Aber vorher wird er von seinem Kind nichts wissen wollen, vielmehr wünscht er dessen Tod. Die Wahlverwandtschaften verbinden zwei Paare einer vaterlosen Gesellschaft in nuce. Die Sehnsucht nach einem Vater und nach seiner Idealisierung wie die Ohnmacht und die Entwertung der Väter wird im Roman ganz ohne Worte dargestellt. Das heißt doch wohl, daß Sehnsucht und Entwertung aus dem Sprachbewußtsein verdrängt und in die darstellende Kunst des Traumdenkens verschoben sind, dargestellt in dem Tintenfleck wie in den drei lebenden Bildern Lucianes, schließlich im Weihnachtsbild mit Ottilie und in der wunderbaren, stummen Ebenbildlichkeit des Kindes. Die Erniedrigung des Vaters, als Triumph Lucianes und als Predigt an ihre Mutter, findet sich am eklatantesten in van Dycks »Belisar« abgebildet, dem um Almosen bettelnden Blinden, der Ostroms mächtigster Feldherr war, Sieger über Bulgaren, Vandalen, Ostgoten, dann aber das Opfer der Angst und Undankbarkeit Justinians, der ihn entmachten und blenden ließ. »Etwas unschätzbar Würdiges [war] von seiner Höhe herabgestürzt; Tapferkeit, Klugheit, Macht, Rang und Vermögen [wurden] ... als unwiderbringlich verloren bedauert ... Eigenschaften, die der Nation, dem Fürsten in entscheidenden Momenten unentbehrlich sind, nicht geschätzt, vielmehr verworfen und ausgestoßen ...« (II 18, S. 241). So die unhistorische Legende, die aber zu Lucianes Blick auf ihren entidealisierten Vater und zu ihrer manischen Abwehr paßt.

Das letzte der sprachlosen Schaustücke zum Thema Vaterlosigkeit und Vaterunfähigkeit, Anwesenheit oder Abwesenheit des Dritten, das in letzter Konsequenz die Unfähigkeit betrifft, Trennungen zu ertragen und un-verrückt denken zu können, wird Ottilie zum Verhängnis. Sie, die ihr Leben lang Vaterlose, die von einem geliebten Mann, der ihre ganze Vatersehnsucht trägt, gerade abschiedslos Verlassene, muß, während sie seiner schwangeren Frau dient, in die Rolle jener Frau schlüpfen, deren Kind in Abwesenheit eines Mannes, aber vom Vater im Himmel

geistig gezeugt wurde. In Gegenwehr gegen Lucianes leidenschaftlichen Wunsch, Ottilie zu beseitigen oder wenigstens ver-
rückt zu machen, was ihr an der psychisch belasteten Tochter
der Gutsnachbarn stellvertretend gegen Ottilie tatsächlich gelingt, als Kompensation für die Eifersucht Lucianes auf Ottilies
Schönheit und als Kompensation für den Ausschluß bei den
bisherigen Tableaus läßt der Architekt Ottilie als jungfräuliche
Gottesmutter mit dem Kind einer anderen im Weihnachtsbild
auftreten, eine für Ottilies psychische Verfassung äußerst gefährliche Anregung.

»Glücklicherweise war das Kind in der anmutigsten Stellung einge-
schlafen, so daß nichts die Betrachtung störte, wenn der Blick *auf
der scheinbaren Mutter* verweilte, die mit unendlicher Anmut einen
Schleier aufgehoben hatte, um den verborgenen Schatz zu offenba-
ren. ... Ottiliens Gestalt, Gebärde, Miene, Blick übertraf alles, was
je ein Maler dargestellt hat. Der gefühlvolle Kenner, der diese Er-
scheinung gesehen hätte, wäre in Furcht geraten, es möge sich nur
irgendetwas bewegen, er wäre in Sorge gestanden, ob ihm jemals
etwas wieder so gefallen könne. Unglücklicherweise war niemand
da, der die ganze Wirkung aufzufassen vermocht hätte ... Doch wer
beschreibt auch die Miene der neugeschaffenen Himmelskönigin?
Die reinste Demut, das liebenswürdigste Gefühl von Bescheidenheit
bei einer großen, unverdient erhaltenen Ehre, einem unbegreiflich
unermeßlichen Glück bildete sich in ihren Zügen, *sowohl indem
sich ihre eigene Empfindung,* als indem sich die Vorstellung aus-
drückte, die sie sich von dem machen konnte, was sie spielte.« (II
6, S. 162, kursiv v. H. B.)

Man darf zweifeln, ob Ottilie noch unterscheiden konnte, was
Spiel und was Wirklichkeit war. Sie wollte diese Unterscheidung nicht mehr. Der Erzähler ist darin eindeutig, daß sie sich
ganz der Empfindung hingab, die allerhöchst ausgezeichnete
Mutter dieses besonderen Sohnes zu sein. Hier ist das Thema
des fehlenden Vaters in einer für Ottilies unbewußtes Phantasie-

ren gefährlichen Weise über das Schauspiel psychisch an die Realität herangerückt. Es wird von ihr gesagt, daß sie sich, je näher Charlottes Entbindung rückte, nicht mehr vorstellen konnte, wie sie Eduard, Charlotte und dem Kind dienen würde. »Sie sah nicht ein, wie es möglich werden wollte«, heißt es, – eine merkwürdig schwebende Formulierung in der Mitte zwischen Passivität, Auflehnung, Entfremdung und der Projektion von Können und Wollen. Der nächste Satz lautet aber ganz eindeutig: »Nichts konnte sie vor völliger Verworrenheit retten, als daß sie jeden Tag ihre Pflicht tat« (II 8, S. 178). Man weiß, wie gering der Zerreißwiderstand dieses seidenen Fadens ist. Ein paar Zeilen weiter, der Sohn ist geboren, die Frauen versicherten sämtlich, es sei der ganze leibhafte Vater, scheint das Unglück bereits geschehen zu sein. »Nur Ottilie konnte es [die Ähnlichkeit mit dem Vater] nicht finden.« Wir erfahren während des Taufaktes, was sich bei ihr ereignet hat:

> »Das Gebet war verrichtet, Ottilien das Kind auf den Arm gelegt, und als sie mit Neigung auf dasselbe heruntersah, erschrak sie nicht wenig an seinen offenen Augen: denn sie glaubte in ihre eigenen zu sehen, eine solche Übereinstimmung hätte jeden überraschen müssen. Mittler, der zunächst das Kind empfing, stutzte gleichfalls, indem er in der Bildung desselben eine so auffallende Ähnlichkeit, und zwar mit dem Hauptmann erblickte, dergleichen ihm sonst noch nie vorgekommen war.« (II 8, S. 179)

Ottilie hat, so muß man ihr Erschrecken über die eigenen Augen, denke ich, interpretieren, unter der Unerträglichkeit der Wahrheit der Geburt und unter dem Eindruck des Sieges der Rivalin, die mit Eduard ein reales Kind zeugte, den Wahn entwickelt, daß es sich bei dem Täufling um ihr Kind handelt, das sie von Eduard empfangen haben sollte und ihm gebären sollte. An sie muß er gedacht haben, als er es mit Charlotte erzeugte. Es *ist* ihr Kind, die Augen beweisen es.

Das psychotische Symbol vom doppelten Ebenbild

Wir können an dieser Stelle die Untersuchung der normalen Symbole beenden, die die Sehnsucht nach dem Vater ausdrückten und uns dem »ungeheuren Recht« wieder zuwenden, das »sich die Gegenwart nicht rauben« läßt, der Zeugung des Kindes und jener psychischen Ereignisse, die während der Zeugung stattfanden.

Ich möchte den so oft zitierten Passus noch einmal in Erinnerung rufen, in dem jener Ausdruck vorkommt, weil ich von ihm aus das psychotische *Symbol des zweifachen Ebenbilds* untersuchen möchte, mit dem das ungeheure Recht der Gegenwart zu tun haben muß.

> »In der Lampendämmerung sogleich behauptete die innere Neigung, behauptete die Einbildungskraft ihre Rechte über das Wirkliche. Eduard hielt nur Ottilien in seinen Armen; Charlotten schwebte der Hauptmann näher oder ferner vor der Seele, und so verwebten, wundersam genug, sich Abwesendes und Gegenwärtiges reizend und wonnevoll durcheinander.
> Und doch läßt sich die Gegenwart ihr ungeheures Recht nicht rauben. Sie brachten einen Teil der Nacht unter allerlei Gesprächen und Scherzen zu, die um desto freier waren, als das Herz leider keinen Teil daran nahm. Aber als Eduard des andern Morgens an dem Busen seiner Frau erwachte, schien ihm der Tag ahnungsvoll hereinzublicken, die Sonne schien ihm ein Verbrechen zu beleuchten; er schlich sich leise von ihrer Seite, und sie fand sich, seltsam genug, allein, als sie erwachte. (I, 11, S. 85)

Innere Neigung und Einbildungskraft behaupten während der Zeugung »ihre Rechte über das Wirkliche.« Dann muß das ungeheure Recht der Gegenwart mit dem Festhalten an diesem »Wirklichen« zu tun haben, das sie sich nicht rauben läßt, dem Festhalten an dem Nicht-Eingebildeten, dem Festhalten am Urteil der Realitätsprüfung. »Es wurde nicht mehr vorgestellt,

was angenehm, sondern was real war, auch wenn es unange-
nehm sein sollte«, hieß Freuds klassische Definition des Reali-
tätsprinzips (Freud 1911b, S. 232). Das ist offenbar jene entscheidende Anerkennung, gegen die Eduard im Bereich seiner
zentralen Wünsche rebelliert. Aber wir müssen noch weiter
fragen. Merkwürdig ist die Personifizierung der Gegenwart, die
wie in einem gnostischen Mythos als göttliche Großmacht in
actu beschrieben wird, merkwürdig auch, daß sie beraubt werden kann, wie auch, daß sie es zu verhindern vermag und merkwürdig, daß sie ein Recht hat wie ein souveräner Staat und daß
das Recht, das sie sich nicht rauben läßt, ein ungeheures ist.
Ungeheuer könnte heißen ungeheuer groß, alles umfassend; oder
mit Entscheidungsbefugnissen ausgestattet, wie über Tod oder
Leben; ungeheuer könnte auch heißen unheimlich, grauenhaft,
schrecklich; oder ungeheuer wichtig, d. h. ontologisch ganz hoch
oder tief, etwa die ersten psychischen Prinzipien oder die Anschauungsformen betreffend. Wahrscheinlich gelten alle drei
Möglichkeiten, aber man kommt auf diese Weise nicht zur
Evidenz. Die inhaltlichen Bestimmungen, auf die sich die Wendung beziehen muß, führen vielleicht weiter. Sie sind für beide
Partner teils gleich, teils außerordentlich unterschieden. Gleich
ist die Freiheit zu »allerlei Gesprächen und Scherzen, die um
desto freier waren, als das Herz leider keinen Teil daran nahm«;
verschieden jedoch ist die Beurteilung am nächsten Morgen.
Während Charlotte sich, seltsam genug, am nächsten Morgen
alleine fand, und sich beschämt und sogar reuig gegenüber dem
Hauptmann fühlte, – »denn so ist die Liebe beschaffen«, kommentiert der Erzähler, »daß sie allein Recht zu haben glaubt und
alle anderen Rechte vor ihr verschwinden« –, schleicht Eduard
sich von Charlottes Seite, weil die Sonne ihm ein Verbrechen zu
beleuchten schien. Dies könnte der entscheidende Punkt sein.
Eduard ist sonst mit bemerkenswerter Rücksichtslosigkeit anderen gegenüber vorgestellt worden, ohne daß sein Narzißmus je
durch ein strenges Überich erschüttert worden wäre. Aber dieses

Mal sieht er ein Verbrechen. Ich muß gestehen, daß ich dieses Verbrechen ohne die Kenntnis typischer Zusammenhänge des Psychischen nicht zu deuten wagen würde. Aber die Worte des Erzählers ernstnehmend und die Momente seelischer Zusammenbrüche kennend, komme ich zu dem Schluß, daß Eduard in seiner Imagination Ottilies viel weiter gegangen ist als Charlotte, indem er sich von der Ebene des Tagtraums, auf der Charlotte geblieben ist, losgerissen und eine halluzinative Gleichsetzung der beiden Frauenkörper zustandegebracht hat. Ein derartiger Schritt ist vermutlich nur möglich unter der seelischen Bedingung seiner ebenso rücksichtslosen wie maßlosen Liebe zu Ottilie, die die Entstehungsbedingungen seines enormen Narzißmus wiederholt. Jene Nacht war die Wiederholung seiner ödipalen Raserei und trägt den Stempel einer halluzinativen Abwehr äußerster Ohnmacht und Verlassenheit. Ein Orgasmus unter den Bedingungen einer Halluzination macht Denken und Realität ununterscheidbar. Charlotte ist wirklich beseitigt, damit Eduard real mit Ottilie zusammen sein kann. Das ist das ahnungsvoll gefühlte, erinnerte Verbrechen.

Wir können jetzt, diese Rekonstruktion zugrundelegend, den Zentralsatz von der Gegenwart erneut versuchen zu übersetzen. Das ungeheure Recht der Gegenwart wäre, daß sie alles, was wirklich ist, und alles was Wirklichkeit als wirklich anerkennt, umfaßt und verteidigt. Ohne quasi-mythologische Rede: nur in der Gegenwart wird der Realitätsbezug, der Objektsbezug, der Wahrheitsbezug verteidigt. Jeder Mensch hat mit Recht Angst davor, sich von der schmerzhaften Wirklichkeit loszureißen. Wer sich von der Wirklichkeit losreißt, bekommt keine bessere, sondern zerstört sein eigenes Denken und das der geliebten Personen. Warum aber Gegenwart, warum nicht die Vergangenheit oder die Zukunft oder eine analoge Raummetapher? Der Grund liegt vermutlich in einer zentralen Bedingung der Entwicklung. Die Kantschen Anschauungsformen der Zeit und des Raumes sind vermutlich nicht einfach angeboren, sondern formieren sich erst unter günstigen sozialen Bedingungen und sind in ihrer Funktion abhängig davon, ob das kleine Kind den Existenzbegriff zu bilden vermag oder nicht. Diese Bildung ist abhängig davon, ob das Kind die Trennung vom Objekt toleriert und einen Begriff vom abwesenden Objekt bilden kann, das existiert, obwohl es nicht da ist. Gegenwart als Anschauungsform ist nur tolerabel, wenn die Abwesenheit des Objekts tolerabel ist. Das ungeheure Recht der Gegenwart, alles Existierende existent zu lassen, ist abhängig davon, ob die Abwesenheit des Objekts toleriert wird. Weder Ottilie noch Eduard sind aber in dieser günstigen Verfassung. Deshalb verwenden sie symbolische Gleichsetzungen (Segal 1978), um sich wahnhaft der Gegenwart der geliebten abwesenden Person zu versichern. Das ist ihr erfolgreicher Angriff auf das ungeheure Recht der Gegenwart.

So bewahrheitet sich auch an diesem großen und umfassenden Satz des Erzählers, was Werner Schwan in seiner Monographie über die »Wahlverwandtschaften« an mehreren der grundsätzlichen Statements des Erzählers nachgewiesen hat: sie werden durch den Fortgang des Geschehens überwältigt oder auf andere Weise widerlegt oder außer Kraft gesetzt.

Psychoanalytisch ausgedrückt handelt es sich bei dem Symbol des doppelten Ebenbilds nicht um ein Symbol, sondern um eine symbolische Gleichsetzung, wie sie typisch ist für psychotische Übertragungen, Wahnvorstellungen und wie sie dem Handeln im Wahn zugrunde liegt. Der Symbolisierende trägt die Bedeutung, die symbolisiert werden soll, mit solcher Gewalt in das Symbol ein, daß die eigene Individualität des Symbolträgers vernichtet wird, jedenfalls verschwindet. Das andere ist dann dasselbe, oder die andere ist dann dieselbe. Charlotte als Symbol für Ottilie verschwindet in Eduards Armen unter der Gewalt der symbolischen Gleichsetzung. Charlotte *ist* dann Ottilie und ist als Charlotte ausgelöscht. Oder, wenn derselbe Vorgang in entgegengesetzter Richtung abläuft, und Ottilie während des Abschreibens des Vertrages schließlich Eduards Handschrift schreibt, so daß

Eduard hingerissen ausruft: Ottilie, du liebst mich, dann hatte Ottilie Eduard mit sich gleichgesetzt, war sie als Eduards Symbol selber verschwunden und hatte ihre Individualität in einer ziemlich zentralen Identifizierung mit Eduard aufgelöst. Sie war nicht nur eins mit Eduard und wollte in der üblichen Weise der ausschließlichen Liebe mit ihm zusammensein und zusammenbleiben, bis daß der Tod beide scheidet, sondern sie *war* Eduard.

Symbolische Gleichsetzungen sind wahrscheinlich Denkmethoden aus der Zeit nach der Geburt. Die klinische Forschung ist noch nicht in der Lage zu entscheiden, ob symbolische Gleichsetzungen immer pathologisch sind oder ob es eine Entwicklungs- und Durchgangsstufe des Denkens gibt, in der die Fähigkeit, in anderem dasselbe zu sehen und symbolische Gleichsetzungen zu bilden, eine normale Entwicklungsnotwendigkeit darstellt. Die »Wahlverwandtschaften« beschreiben jedoch zwei gesellschaftliche Phänomene von symbolischen Gleichsetzungen präzise:

1. Persönlichkeiten, die dazu tendieren, kritische Zustände mit symbolischen Gleichsetzungen zu beantworten, werden auch in ihren Liebesbeziehungen zu diesen katastrophischen Methoden greifen, wenn das Leiden an der Wirklichkeit zu hohe Anforderungen stellt. Die leidenschaftlichen Zustände, die sich dabei ergeben, brauchen durchaus nicht idealisiert zu werden, obwohl sie vermutlich als das heimliche Modell romantischer Liebesideale und Liebestode fungieren und obwohl der Erzähler der »Wahlverwandtschaften« Gestalten wie Ottilie mit merklicher Sympathie und Anteilnahme in ihre Geistesstörung und suizidale Selbstrettung begleitet hat.

Das zweite gesellschaftliche Phänomen ist ebenfalls ein Geschöpf der symbolischen Gleichsetzung und also der psychotischen Symbolik. Es ist kollektiv von größerer, jedenfalls aktueller Bedeutung. Im Roman ist dieses Phänomen vor allem in der Gestalt Mittlers verkörpert, der außerordentlich treffend charakterisiert wird als jemand, der aus dem Moment heraus neue Vorurteile bildet. Er entdeckt z. B. die Ebenbildlichkeit mit dem Hauptmann, weil er von einem Ehebruch Charlottes ausgeht, und das tut er, weil er unbewußt bei jeder verheirateten Person und bei jedem Kind von Ehebruch ausgeht. Auch Mittler möchte von dem Mechanismus der symbolischen Gleichsetzung profitieren, indem er sich, wie ein Kuckucksei, mit dem Überich seiner Opfer gleichsetzen möchte, um selber keinem Gewissen unterworfen zu sein, das ihm seine Tätigkeit als zerstörerische, als, verzeihen Sie das Wort, persönlichkeitsbrecherische vorhalten würde. Er vertritt das gesellschaftliche Vorurteil über Scheidungen, ist sozusagen der McCarthy der Romangesellschaft und deshalb *inhaltlich* die unmodernste, die überholteste Figur. Bemerkenswert ist jedoch eine seiner Funktionen im Romanverlauf, durch die er *funktional* zur modernsten Figur wird: er ist trotz oder wegen seiner Vorurteilsverbreitung immer willkommen. Mittler verkörpert die Ideologie seiner Gesellschaft, aber zugleich die Funktion herrschender Vorurteile jeder Gesellschaft. Er wird, wie es die herrschenden Vorurteile tun, als intuitiv zerstörerisch handelnd beschrieben. Seine tötenden Waffen sind formulierte Ideen, konfuse destruktive Mischungen aus bester Vernunft, Falschdefinitionen und Projektionen. Der wichtigste Anteil, und das finde ich das Bemerkenswerteste an Goethes Erfindung dieser Gestalt, sind jene Projektionen, die den Status symbolischer Gleichsetzungen, den Charakter des Wahns haben. Die Vorurteile Mittlers fungieren also der inneren Organisation nach tatsächlich als die negativen Sakramente der Wahlverwandtschaftsgruppe, und das gilt entsprechend für jede Gesellschaft. Vorurteile brauchen diejenigen, die an sie glauben, und vergehen, streng zeitgebunden wie sie sind, erfahrungsgemäß erst mit denen, die an sie glaubten.

Kehren wir zu der Erfindung der doppelten Ebenbildlichkeit zurück. Sie wird vom Erzähler durch seine objektivierende Sprache so behandelt, als handele es sich um eine zwar auffäl-

lige, aber hinsichtlich der Genese doch fraglose Realität, als
etwas, das alltäglich vorkommen könnte, jedenfalls durchaus
möglich wäre. Die Romanpersonen wundern sich nie über die
Unmöglichkeit dieser fremden Ähnlichkeit. Als einziger fragt
ausgerechnet Eduard: Wäre es möglich? Das Wunder ist des
Glaubens liebstes Kind, möchte man sagen, sie haben alle ihre
Interessen, weshalb sie dies Wunder begrüßen. Wie Ottilie, die
während der Taufhandlung die erste ist, die ihre Augen in denen
des Jungen wiedererkennt, weil sie die wirkliche Frau Eduards
ist und weil sie deshalb das Recht hat, das Kind zusammen mit
Eduard gezeugt und ihm ihre Augen gegeben zu haben; oder
Mittler, der der zweite ist, ebenfalls während der Taufhandlung,
der die Gesichtszüge des Hauptmanns wiedererkennt. Auch
Mittlers Ehefanatismus käme es natürlich sehr gelegen, wenn
die Gedanken der Zeugenden an den Kindern physiognomisch
würden und Ehebruch schrien. Gott, was würde das für eine
Weltveränderung geben! Er könnte alle Verheirateten zur Rechenschaft ziehen, und sie wären gezwungen zuzugeben, was
die Kinder mit ihren Gesichtszügen beweisen. Er hätte unauf-
hörlich zu tun, Ehescheidungen zu verhindern.

Nimmt man also Ottilies und Mittlers Reaktion heuristisch,
dann löst sich das hermeneutische Rätsel der objektivierenden
Sprache. Sie ist ein ganz besonderer Fall der das ganze Buch
durchziehenden Verrätselung der Verständnismöglichkeiten. In
diesem Falle könnte man eine glatte Irreführung des Lesers
durch den allwissenden Erzähler annehmen, der doch weiß, daß
eine derartige Ebenbildlichkeit noch nie in der Welt vorgekom-
men ist. Die geheimgehaltene Lösung des Rätsels heißt: Projektion (in der Sprache Goethes: Neigung und Einbildungskraft).
Die Sprache des Erzählers ahmt das Ergebnis des unbewußten
Vorgangs nach und übernimmt dessen apodiktisches »Es ist so!«
Ottilie projiziert sich in Charlotte und findet das Ergebnis in den
Augen des Kindes. Mittler projiziert seinen Einbruch in jede
Ehe als Ehebruch Charlottes mit dem Hauptmann. Bei Ottilie

kann man darüber hinaus an eine weitere Projektion ihrer Augen denken: sie leidet, der Leser soll annehmen von Geburt an, mit ihren aufnehmenden Funktionen, wie Sehen, Essen, Lernen, Verstehen, Funktionen, die mit traumatischen Trennungen und Verlusten verbunden sind und ein Leben erhalten, das oft ein unerträgliches Leben der Verlassenheit ist. Ottilie projiziert das leidvolle Aufnehmen-Wollen der Augen in das Kind. Als diese Augen durch ihr tödliches Versehen geschlossen sind, stirbt sie durch Nicht-aufnehmen-Wollen, durch Nicht-Essen.

Die Ebenbildlichkeit ist ein psychotisches Symbol. Wer als Leser in einen psychotischen Gedankengang mithineingezogen wird, ohne daß er einen Weg findet, intellektuell zu protestieren, wird entweder über sich selbst den Kopf schütteln müssen oder mit Groll die Identifizierungsbereitschaft zurückziehen, von der jede Lektüre lebt. Mir leuchtet es ein, anzunehmen, daß das Unbehagen der Leser, das es seit Erscheinen des Romans gegeben hat, über der fatalen Ebenbildlichkeit des Kindes mit den imaginierten Geliebten der Zeugung entstanden ist, auch wenn aus Selbstmißverständnis immer andere, möglich-plausible Einwände genannt wurden.

Die tödliche Fehlleistung

Die krasseste Fassung der objektiven Erzählsprache finden wir in der Begegnung des Majors mit dem toten Kind.

>»Der Major trat herein; ihn begrüßte Charlotte mit einem schmerzlichen Lächeln. Er stand vor ihr. Sie hub die grünseidne Decke auf, die den Leichnam verbarg, und bei dem dunklen Schein einer Kerze erblickte er, nicht ohne geheimes Grausen sein erstarrtes Ebenbild. Charlotte deutete auf einen Stuhl, und so saßen sie gegeneinander über, schweigend, die Nacht hindurch.« (215)

Überprüfen wir die erzählerische Objektivität als Verheimlichung und Apodiktik der Projektion. Das geheime Grausen könnte sich sowohl auf die erschreckende Erfüllung geheimer Wünsche wie auf die Enthüllung der Zukunft beziehen. Der Hauptmann war ja zu Charlotte gekommen, um sie in Eduards Auftrag zur Scheidung zu drängen und um für sich selber die gemeinsame Zukunft mit Charlotte einzuleiten. Das Kind war dem allem im Wege. Jetzt lag es tot vor ihm. Die Enthüllung der Zukunft bezieht die Ebenbildlichkeit auf das Lebensgesetz des Majors, auf die Bereitschaft, unter dem Einsatz seines Lebens eine Frau oder ein Kind aus dem Wasser zu retten. Er sähe hier mit Grausen die Enthüllung, daß die gerade versuchte Rettung des Freundes und Ottilies in des Kindes Tod geführt hat und in sein und Charlottes Verderben in Zukunft führen wird. Er hat sich in einen tödlichen Plan verwickeln lassen.

Ganz in der Welt der objektiven Wahrnehmungssprache verläuft auch Eduards erste Begegnung mit seinem Sohn während des Liebesgesprächs mit Ottilie am Seeufer. Die von ihm wahrgenommene doppelte Ebenbildlichkeit führt zu der Behauptung eines doppelten Ehebruchs, sodann zu Eduards Überzeugung, er könne nur in Ottilies Armen abbüßen, was in jener Nacht der Zeugung Fehlerhaftes, Verbrecherisches geschehen ist.

»Eduard erblickt es und staunt. Großer Gott! ruft er aus: wenn ich Ursache hätte, an meiner Frau, an meinem Freunde zu zweifeln, so würde diese Gestalt fürchterlich gegen sie zeugen. Ist dies nicht die Bildung des Majors? Solch ein Gleichen habe ich nie gesehen.
Nicht doch! versetzte Ottilie: alle Welt sagt, es gleiche mir.
Wäre es möglich? versetzte Eduard, und in dem Augenblick schlug das Kind die Augen auf, zwei große, schwarze, durchdringende Augen, tief und freundlich. Der Knabe sah die Welt schon so verständig an; er schien die beiden zu kennen, die vor ihm standen. Eduard warf sich bei dem Kinde nieder, er kniete zweimal vor Ottilien. Du bists! rief er aus: deine Augen sinds. Ach! aber laß mich nur in die deinigen schaun. Laß mich einen Schleier werfen

über jene unselige Stunde, die diesem Wesen das Dasein gab. Soll ich deine reine Seele mit dem unglücklichen Gedanken erschrecken, daß Mann und Frau entfremdet sich einander ans Herz drücken und einen gesetzlichen Bund durch lebhafte Wünsche entheiligen können! Oh ja, da wir einmal so weit sind, da mein Verhältnis zu Charlotten getrennt werden muß, da du die Meinige sein wirst, warum soll ich es nicht sagen! Warum soll ich das harte Wort nicht aussprechen: dies Kind ist aus einem doppelten Ehbruch erzeugt! es trennt mich von meiner Gattin und meine Gattin von mir, wie es uns hätte verbinden sollen. Mag es denn gegen mich zeugen, mögen diese herrlichen Augen den deinigen sagen, daß ich in den Armen einer andern dir gehörte; mögest du fühlen, Ottilie, recht fühlen, daß ich jenen Fehler, jenes Verbrechen nur in deinen Armen abbüßen kann!« (II 13, S. 210 f.)

Eduard behauptet, das Kind trenne ihn von Charlotte und Charlotte von ihm, anstatt beide zu verbinden. Das ist eine reine Projektion. Er ist es, der sich von Charlotte trennt und von dem Kind. Das Kind verbindet nach wie vor beide Eltern. Es sei in einem doppelten Ehebruch gezeugt worden. Stimmt das? Müßte Eduard nicht daran festhalten, daß es nicht stimmt? Er weiß doch, daß er etwas viel Schlimmeres tat als einen geistigen Ehebruch zu begehen. Weiß er nicht mehr, daß es ein Realitätsbruch war, der sich gegen Ottilie ebenso richtete wie gegen Charlotte wie gegen ihn selbst, ein Ausbruch von Größenwahn und Ohnmacht, um sich von nichts und niemandem einschränken zu lassen? Eduard möchte diese Tat, für die nur er die Verantwortung übernehmen kann, halbieren oder, lieber noch, ganz beseitigen. Schuldprojektion ist es, weshalb er mit dem Hauptmann und Charlotte anfängt, um beide an seiner Statt zu beschuldigen. Ottilie bemerkt sofort, daß Eduards Projektion sie ausschließen will. Sie protestiert freundlich und erinnert an den geteilten Wahn. Wäre es möglich, versetzte Eduard? Einen Augenblick interpretieren zwei verzweifelte Interpretationen dieselbe Realität und schließen sich wechselseitig aus, das Kippbild, eine Situation, die aus jeder Behandlung von Realitätsverleugnung bekannt ist. Da greift das Kind ein und »schlägt die Augen auf, zwei große, schwarze, durchdringende Augen, tief und freundlich. Der Knabe sah die Welt schon so verständig an; er schien die beiden zu kennen, die vor ihm standen«. Sein Blick ist vermutlich die einzige therapeutische Botschaft, die Eduard noch erreichen könnte. Einen Augenblick wird Eduard auch von den eigenen Augen des Kindes ergriffen, obwohl er sie dann sofort in Ottilies uminterpretiert. Als er merkt, daß die Augen des Kindes ihn freundlich von seinem Wahn befreien könnten, will er nur noch in Ottilies Augen schauen und einen Schleier werfen über jene unselige Stunde, die diesem Wesen das Dasein gab. Von nun an ist das Leben des Kindes besiegelt. Eduards Liebe zu Ottilie ist mit seinem Haß auf die Realität eins. Er trifft das Kind zuerst, das die Realität verkörpert.

Die frappante Ähnlichkeit des Kindes mit dem Hauptmann wie mit Ottilie dient in Eduards scheinbar so radikal ehrlichen Worten nur der Schuldbelastung des Kindes. Das Kind zeugt gegen ihn, das ist das einzige, was in seiner leidenschaftlichen Rede zutrifft. Das Kind ist ein Vertreter der Gegenwart, das sich sein Recht zu existieren nicht durch psychotische Wahnüberzeugungen rauben lassen will. Eduards dringliche Aufforderung an Ottilie, der kranke Höhepunkt des Monologs, zu fühlen, was er fühlt, verlangt von ihr, daß sie ihre Identifizierung mit ihm wiederholen und noch intensivieren soll. Der sexuelle Wahn, daß sie sich beide schon angehört haben, soll aufrechterhalten bleiben und nur in der sexuellen Realität abgebüßt und aufgelöst werden können. Dann muß Eduard nie merken, daß es einen Unterschied zwischen Wahn und Wirklichkeit gibt, und er kann bei seinem Glauben bleiben, daß er den Besitz dieses Körpers nur der ungeheuren Macht seines Durchsetzungswillens verdankt.

Daraufhin hat Ottilie unbewußt verstanden. Sie hat gemerkt, daß Eduard sie noch viel schlimmer verlassen hat, als sie je bisher verlassen wurde, weil er sie durch eine Vorstellung ersetzt, die er von ihr hat, und die sie nicht ist, genau so, wie er es mit dem Kind macht. Sie sieht, daß Eduard seine rücksichtslose Liebe durch den durchdringenden Blick des Kindes bedroht findet. Soweit sie an Eduard festhält und seine Wünsche an die Stelle der eigenen setzt, erfüllt sie seinen Realitätshaß gegen das Kind, schwankt sie und stürzt. In dem Moment, in dem der Stern der Hoffnung über beiden aufleuchtet und, wie der Erzähler an dieser Stelle einmal im Klartext mitteilt, »Sie wähnten, sie glaubten ...«, daß sie einander angehören, fällt der Stern schon vom Himmel. Die Liebe dieser beiden Menschen ist ohne Hoffnung. Ottilie, die immer tot sein wollte, projiziert unbewußt ihren Suizidwunsch in das Kind und läßt es bei ihrem Sturz ertrinken.

Ich möchte die Interpretation des Textes an dieser Stelle abbrechen. Die Beschreibung des Blicks des Kindes geschieht in derselben objektivierenden Sprache, in der die projektiven Wahrnehmungen der Ebenbildlichkeit geschildert werden. In dem einen Fall ist es die Objektivität der Projektion, die die Realität aufhebt, eine Projektion, die der Leser mitmachen soll oder kann, wenn er will, oder die er als Verleugnung, als Projektion durchschaut. Ich halte es für möglich, daß Goethe mit der objektivierenden Sprachanerkennung der Projektion seine Leser mit der Tatsache konfrontieren wollte, daß die gesellschaftliche Realitätswahrnehmung von Projektionen durchsetzt ist, Projektionen, die als gesellschaftskonstitutive Elemente den Charakter eines Wahns tragen und die für seelisches Wachstum tödlich sein können.

In dem anderen Fall beschreibt der Erzähler mit derselben objektivierenden Manier am Blick des Kindes die Realität, wie sie ist, und wie der Leser sie sich nicht rauben lassen muß. Er charakterisiert den Blick des Kindes als therapeutische Realität, als Wahrheit.

Man käme so am Ende der Untersuchung der beiden zu Beginn genannten Polaritäten der Wahlverwandtschaften – Narzißmus-Objektbeziehung, Realitätstreue-Wahndenken – zu dem nicht überraschenden Ergebnis, daß die Unterscheidung zwischen der objektiven Sprache der projektiven Realität und der objektiven Sprache der »wirklichen« Realität erst mit der Interpretation getroffen wird. Diese kann sich auf die Sprache des Erzählers berufen und kann sich zugleich *nicht* einfach auf die Sprache des Erzählers berufen. Es ist alles Deutung. Es kommt allerdings darauf an, daß sie realistisch ist, und sei es in der Weise des durchdringenden, tiefen, freundlichen, verständigen Blicks des Kindes, der die zu kennen schien, die vor ihm standen. Die Wahrheit der Interpretation kann nichts anderes sein, darf aber auch nichts anderes einschließen, als daß sie *nach Meinung des Interpreten* wahr ist. Er kann der Wahrheitsverpflichtung nicht entgehen, wie subjektiv auch immer seine Wahrheit ist. Das gilt für den Germanisten wie für den Psychoanalytiker. Der Blick des Interpreten wird sich wehren gegen realitätsverzerrende Projektionen, so sehr er kann, aber er wird sich das ungeheure Recht auf die Wahrnehmung und das Verständnis seiner und der gesellschaftlichen Wirklichkeit nicht rauben lassen.

Literatur

Beland, H. (1996): Siehst, Vater, du den Erlkönig nicht? – Psychoanalytische Betrachtungen über Goethes Ballade »Erlkönig«. In: Gisela Greve (Hg.): Kunstbefragung. 30 Jahre psychoanalytische Werkinterpretation am Berliner Psychoanalytischen Institut. Tübingen, edition diskord 1996, S. 13–34.

Bolz, N. (1997): Die Wahlverwandtschaften. In: Bernd Wille u. a. (Hg.): Goethe Handbuch, Bd. 3 Prosaschriften. Stuttgart-Weimar, J. B. Metzler, S. 152–185.

Benjamin, W. (1924): Goethes Wahlverwandtschaften. In: W. B.: Gesammelte Schriften. Hrsg. von Rolf Tiedemann und Hermann Schweppenhäuser. Frankfurt a.M., Suhrkamp 1974, Bd. I, 1, S. 123–201.

Freud, S. (1901b): Zur Psychopathologie des Alltagslebens. GW Bd. 4.

– (1911b): Formulierungen über die zwei Prinzipien des psychischen Geschehens. GW Bd. 8, S. 213.

Goethe, J. W. (1809): Die Wahlverwandtschaften. Insel Verlag Taschenbuch it 1639. Frankfurt a.M. und Leipzig, Insel Verlag 1994.

Ritzenhoff, U. (1982): Johann Wolfgang Goethe – Die Wahlverwandtschaften. Erläuterungen und Dokumente. Stuttgart 1991, Philipp Reclam jun., Universal-Bibliothek Nr. 8156 [3].

Schleiermacher, F. D. E. (o. J.): Idee zu einem Katechismus der Vernunft für edle Frauen. Aus: Denkmale der inneren Entwicklung Schleiermachers; Anhang zu Dilthey: Leben Schleiermachers, Bd. 1, S. 83. In: Heinz Bolli (Auswahl), Schleiermacher Auswahl. Siebenstern Taschenbuch 113/114, München Hamburg 1968, S. 274.

Schwan, W. (1983): Goethes Wahlverwandtschaften. München, Wilh. Fink Verlag.

Segal, H. (1978): On symbolism. Intern. J. Psychoanal. 55, 315–319.

Tanner, T. (1979): Adultery in the Novel. Baltimore-London, The John Hopkin's University Press.

Hartmut Böhme

»Kein wahrer Prophet«

Die Zeichen und das Nicht-Menschliche in Goethes Roman *Die Wahlverwandtschaften*

Einleitende Überlegungen zum Nicht-Menschlichen

Der Roman »Die Wahlverwandtschaften« ist im ersten Ansehen ein Kammerspiel des Sozialen. Dessen Kern bilden die vier Hauptpersonen, umgeben von einer begrenzten Zahl von Nebenfiguren. Um nichts anderes scheint es zu gehen als um die Charaktere und ihre Beziehungen, die Konflikte und Motive, die psychologischen und sozialen Dynamiken. So mag man Ottilie recht geben, wenn sie in ihrem Tagebuch den berühmten Grundsatz von Alexander Pope zitiert: »... das eigentliche Studium der Menschheit ist der Mensch« (417).[1]

Ist dieses aus bester Aufklärungstradition stammende Prinzip nicht eine treffendere *inscriptio* des Romans als die chemische Gleichnisrede von den Wahlverwandtschaften, die niemals wenn nicht fälschlich auf die Konstellationen des Romans angewendet werden kann?

Radikal aber wird der Roman, indem er *nicht* voraussetzt, daß alles, was den Menschen formiert, wiederum etwas Menschliches sein muß. Das Nicht-Menschliche im weitesten Sinn macht einen bedeutenden, vielleicht den bedeutendsten Anteil am Menschen aus. Dies ist eine pessimistische Deutung, wenigstens nach einem Jahrhundert Aufklärung, das seinen Stolz darin setzte, den Menschen so zu entwerfen, daß das, was er ist, sich niemandem und nichts verdankt als ihm selbst. Es wäre eine Subversion des Autonomie-Postulats jedweder philosophischer Couleur, wenn das Nicht-Menschliche zum Bestimmungsstück des Menschen würde. Richten wir uns also auf die Möglichkeit ein, daß ein unbestimmt großer Anteil dessen, was wir sind, nicht-menschlich ist. Dann kommen wir dem nach-aufklärerischen Bewußtsein des Romans näher, der das Produkt einer tiefen Krise Goethes ist und schon von daher alles andere als ein frohgemutes Stück Humanismus erwarten läßt. Die Erzählhaltung des Romans ist kühl und experimentell, seine Anthropologie unerbittlich, ja mitunter gnadenlos.

Der Mensch, so will ich ungebührlich allgemein sagen, findet seine Identität und sein Selbstverständnis in lebensgeschichtlichen und gesellschaftlichen Zusammenhängen. Er handelt und kommuniziert im Zusammenspiel mit anderen, er bildet Motive, Ziele und Normen des Handelns, die er im Rahmen sozialer Moralen bewertet. Er knüpft seine Gefühle und Leidenschaften vor allem an andere Menschen. Er scheitert oder verwirklicht sich in sozialen Kontexten. Das alles finden wir im Roman wieder. Und das gilt. Dennoch werden die Beziehungen, von denen man wünscht, daß sie essentiell wären, wie z. B. Liebe und Ehe, Elternschaft und Freundschaft, Familie und Generationenfolge, fast ausnahmslos und ohne tragende Hoffnungsreste zerstört. Hier herrscht Schwärze. Sie stimmt um so deprimierter, als die handelnden Personen unter guten Bedingungen konfiguriert werden: kein Umsturz, kein Krieg, keine natürliche oder politische Katastrophe, keine plötzliche Not und Armut tragen zum Kollaps der Beziehungen bei. Man ist wohlhabend, privilegiert, gebildet, kenntnisreich, welterfahren, kommunikativ gewandt, klug, teilweise gar wissenschaftlich informiert, als adlige Herrenschicht durchaus menschenfreundlich, ohne exzessive Laster, ohne destruktiven Ehrgeiz, aufgeklärt und im ganzen wohl temperiert. So wären auch von dieser Seite her günstige Prognosen für Bestand und Entwicklung der Beziehungen erlaubt. Und doch tritt das Gegenteil ein, eine Katastrophe, die aber nicht plötzlich hereinbricht und die Betroffenen niederschlägt. Auch hier setzt Goethe optimale Bedingungen: das Unglück ist kein augenblickshafter Überfall. Katastrophal an der Katastrophe der »Wahlverwandtschaften« ist, daß sie sich im Angesicht aller Beteiligten ruhig entwickelt, an jeder Stelle aufhaltbar erscheint, viele Alternativen zuläßt, die den Beteiligten bekannt sind. Niemand will die Katastrophe. Man kann auch nicht sagen, daß sie selbstgemacht wäre; das würde Subjekte der Katastrophe voraussetzen. Es gibt solche Subjekte nicht. Die Katastrophe vollzieht sich mit, an und durch die Menschen, doch ist sie subjektlos. Gleichwohl erscheint in der Katastrophe weder ein Gott noch eine böse Natur, kein Dämon und kein Engel. Es ist keine metaphysische Katastrophe (wie die ältere Forschung oft angenommen hat). Es ist eine menschliche Katastrophe und nichts als das; und zugleich ist sie ganz und gar nicht-menschlich. Es kann sie nur geben, wo es Subjekte gibt; doch die Katastrophe ist, daß sie an den Subjekten etwas Subjektloses, Übersubjekthaftes, Transpersonales hervorkehrt. Es läßt sich noch nicht besser sagen. Und weil Goethe dies alles unter so privilegierten Bedingungen eintreten läßt, schließt der Roman einen Schrecken ein, der sich ebenfalls langsam im Leser entwickelt: ein schrittweise sich aufbauender Schrecken darüber, daß die Menschen sich nicht retten können, weil sie zu Schauplätzen des Nicht-Menschlichen werden.

Es wird Zeit, etwas über meine Verwendung des Wortes »das Nicht-Menschliche« zu sagen. Es heißt auf keinen Fall: inhuman. Sondern es will ausdrücken, was der Roman zu zeigen scheint und was meine These ist: (1) es gelingt nicht, selbstgewisses Subjekt seiner selbst zu sein. Und (2): wo es nicht gelingt, das Nicht-Menschliche in das eigene Menschsein zu integrieren, tritt die Katastrophe ein.

Gewiß sind Götter, Dämonen, Engel nicht-menschlich, doch ist dies für den Roman ziemlich uninteressant. Es führen keine übermenschlichen Mächte Regie. In gewisser Hinsicht sind auch Heilige oder Maria nicht-menschlich – und das führt in die Nähe des Romans, jedenfalls Ottiliens und aller, die sie verheiligen. Das Heilige ist ein tendenziell katastrophischer Mechanismus. Nicht-menschlich sind ferner Stoffe und Materien, natürliche und künstliche Dinge, Prozesse und Kräfte der Natur – und diese spielen in den »Wahlverwandtschaften« eine bedeutende Rolle. Gewinnt ein derart Nicht-Menschliches formierende Macht über die mit ihm verbundenen Menschen, so drohen unkalkulierbare Katastrophen. Nicht-menschlich sind ferner die Tiere, die »Kompatrioten« (416), wie Ottilie vertraute Tiere und Pflanzen nennt, aber auch »Karikaturen« (415; vgl. 382/3) wie die Affen. Sodann die Pflanzen, welche ein stilles Für-Sich darzustellen scheinen; doch gehen die Protagonisten Beziehungen zu ihnen ein, durch welche Pflanzen Macht über die Menschen gewinnen. So lebt Ottilie im Zyklus der Pflanzen; oder die Platanen gewinnen eine fatale Macht über Eduard. Nichtmenschlich nenne ich ferner extraordinäre Erlebniszustände, worin eine hohe Ereignisdichte besteht, in welchen Subjekte ihren Subjektstatus verlieren, so daß steuerungslose Prozesse eintreten, die gerade deswegen eine bestimmende Macht über den Betroffenen erlangen. Nicht-menschlich nenne ich schließlich jene Dimension des Zufalls und der Kontingenz, durch welche sich Intentionen und Planungen, gute Wünsche und hoffnungsvolle Aspirationen ins Gegenteil verkehren, so daß die Handelnden zum Schauplatz von etwas gänzlich Unintendiertem werden. Diese Dimension ist im Roman von überragender Wichtigkeit. Auch kann man bei diesem Roman zum Nicht-Menschlichen dasjenige zählen, was Jean Paul »dieses wahre, innere Afrika« oder Freud das »innere Ausland« nennt, also nicht nur das Unbewußte, sondern alles, was dem Subjekt selbst entstammt und dennoch ihm fremd und unbekannt ist wie ein unentdeckter Kontinent. Goethe aber lebte und schrieb in der Epoche der Aufklärung. Es gibt keine wirklich fremden Kontinente mehr. Das Licht des Bewußtseins ist nicht nur in alle Kontinente, sondern auch in die Fältelungen des Ich vorgedrungen; so glaubte man. Wenn aus so gebildeten, bewußten und aufgeklärten Menschen wie den Protagonisten dennoch etwas ihnen gänzlich Fremdes aufbricht, so hat dies den Status des Nicht-Menschlichen – so wie das Kind Charlottes und Eduards, bei aller Schönheit, in Wahrheit kein Kind, sondern ein Monstrum ist, imprägniert vom Unheil, der Katastrophe.

Ziel also ist es, den Spuren des Nicht-Menschlichen im Roman nachzugehen und von dort aus das Verständnis dieses so oft und so klug gedeuteten, dennoch unausgeschöpften Romans voranzutreiben. Dabei spielt ein weiteres Moment eine Rolle: alle Personen des Romans, und das kennzeichnet sie als Menschen, sind außerordentlich aktive Hermeneutiker und Semiotiker. Darin sind sie durchaus auf der Höhe der Zeit. Ohne Unterlaß lesen, schreiben, notieren und archivieren sie, unterreden sie sich, deuten und interpretieren, erkennen und entziffern sie Zeichen in allen Formen, versuchen sie Prognosen, beobachten sie Fakten und entlocken ihnen Sinn. In dieser nie abreißenden hermeneutischen Intensität erweisen sich sämtliche Protagonisten als Angehörige einer literalen Kultur. Lesen, Schreiben, Deuten und Diskutieren sind ihnen die Mittel, Orientierungen auch dort zu entwickeln, wo Wissen nicht vorliegt. Es sind also allzumenschliche Mittel. Durch sie setzen die Personen sich Ziele und Aussichten, die ihnen über Ratlosigkeiten hinweghelfen (sollen). Doch das Tragische des Romans ist, daß alle – wirklich: alle – hermeneutischen oder semiotischen Anstrengungen aussichtslos sind. Sie scheitern, oft sofort, oft später, doch unausweichlich. Es wäre eine verteufelte Dimension des Nicht-Menschlichen, wenn der Roman zeigte, daß das Katastrophische sich unserer Deutungen und Zeichen als Medium bediente. So aber ist es. Wie öfters zeigt sich auch hierbei, daß der in der Goethe-Philologie und seit Walter Benjamins großem Essay obligate Begriff des Mythischen ein Sammeltitel ist, der jedenfalls in den »Wahlverwandtschaften« die Dimension des Nicht-Menschlichen so gut wie überhaupt nicht trifft.[2] Vielmehr will ich zeigen, daß man bei der Deutung der »Wahlverwandtschaften« auf den Begriff des Mythischen nicht nur vollständig verzichten kann, sondern auch sollte. Was in diesem Roman ›nicht-menschlich‹ ist, gehört durchweg anderen Seinsschichten bzw. Zeichenebenen an als der Mythos. Als einziges Beispiel, das ich hier genauer analysieren kann, nehme ich das Kelchglas. Dieses ist derart dicht in den Roman verwoben, daß mit ihm mein Vortrag schon erschöpft ist. Ich behaupte aber, daß das, was ich an diesem Trinkglas zeige, paradigmatisch für den ganzen Roman ist und sich an nahezu jedem Gegenstand und jeder Person zeigen läßt.

Grundsteinlegung

Das Fest der Grundsteinlegung des Lusthauses wurde vom Hauptmann absichtsvoll auf den Geburtstag Charlottes gelegt. Doch Eduard münzt es insgeheim auf Ottilien. Ein Maurer, alten Zunftritualen entsprechend, hält eine Rede, bei derem Ende er »ein wohlgeschliffenes Kelchglas auf einen Zug« leert und »in die Luft« wirft: »denn es bezeichnet das Übermaß einer Freude, das Gefäß zu zerstören, dessen man sich in der Fröhlichkeit bedient« (302). »Aber diesmal ereignete es sich anders (...) und zwar ohne Wunder«, wie der Erzähler ausdrücklich sagt. Das Glas »wurde von einem aufgefangen, der diesen Zufall als ein glückliches Zeichen für sich ansah« (303). Dadurch wird das Glas nicht nur aus seiner Determination, dem Zerschellen, herausgerissen, wodurch es jene glücksverheißende Symbolkraft, die es in der Intention des Maurers haben soll, instantiell verliert. Sondern der Fänger deutet das Fallen des Glases als einen »Zufall«, der eben als ›Zu-Fall‹ »ein glückliches Zeichen« für *ihn* sein soll. Das Glas ›fällt‹ damit in eine andere semantische Matrix: es wird als Zeichen-Element eines öffentlichen Rituals gelöscht und im ›Zu-Fall‹, der den physikalischen Ablauf unterbricht, willkürlich umcodiert zu einem privaten Glücks-Zeichen.[3]

Nun ist es wirklich »ohne Wunder«, daß etwas, das fällt, gefangen werden kann. In der physikalischen Reihe gibt es keinen

Bruch. Sie ›bedeutet‹ aber auch nichts. Das Werfen und Zerschellen des Glases aber *soll* bedeuten, nämlich Glück und Freude für das künftige Haus – so wie der Grundstein, zum »Denkstein« (301) gemacht, durch allerlei Rituale zu einem apotropäischen Zauberstein, zu einem Fetisch wird, der dem Haus Dauer verleihen soll. Insofern ist der Grundstein, wie das Glas, ein Ding und ein performatives Zeichen in eins. Diese Fusion macht sie zu magischen Objekten. Diese sollen immer nicht-menschliche Mächte, Glück und Unglück, unsichere Zukunft, Feinde und Krankheiten, Ahnen und Geister manipulieren und bannen. Magische Objekte sind Fetische. Der Grundstein ist von *vornherein* als solcher Fetisch intendiert. Das Glas ist noch keiner, sondern Element einer magischen Handlung. Doch wird, im Fortgang, auch das Glas zum Fetisch, zum Talisman.[4]

Es ist niemals gleichgültig, woraus Fetische zusammengesetzt sind. Der Göttinger Historiker Christoph Meiners, von dem Goethe genaueres über den Fetischismus der Naturvölker erfuhr, spricht von »Fetisch-Bündeln«, einem »Complexus von Dingen, welche einen zusammengesetzten Fetisch ausmachen«. Ein solches Fetisch-Cluster »enthält nicht selten Produkte menschlicher Kunst: weswegen man sie als eine Mittelart von natürlichen und künstlichen Fetischen (...) betrachten kann«.[5] Von genau dieser Art ist der Grundstein als sog. Gemeinschafts-Fetisch, ›zwischen‹ Natur und Kultur, zwischen Technik und Magie stehend.

Nun ist aufschlußreich, daß Eduard das öffentliche Ritual der Fetischisierung des Grundsteins, worin es um die Befestigung der ephemeren menschlichen Einrichtungen geht, insgeheim privatisiert – genau, wie es mit dem Glas geschieht. Der Grundstein als »Denkstein« ist konstruiert wie ein Reliquiar: er ist hohl, eine materielle Umhüllung bedeutsamer Hinterlassenschaften (Relikte, Reliquien). Zu den vorbereiteten zugelöteten Köchern mit Nachrichten »für eine entfernte Nachwelt«, gravierten Metallplatten, Weinflaschen, Münzen, sollen nun die Gäste noch etwas vom Ihrigen hinzufügen. Ein Offizier schneidet für diese »Schatzkammer« einige Uniformknöpfe ab, Frauen legen Haarkämme, Riechfläschchen und »andre Zierden« (302) hinein. Rhetorisch gesehen sind diese Objekte kostbare partes pro toto, Synekdochés, welche die spendende Person vertreten. Der Text nennt sie »Kleinode« (302), nicht wegen ihres Sach-, sondern wegen ihres Fetischwertes. In der Höhlung des Grundsteins versammelt sich nach und nach eine Assemblage von Signifikanten, die für die Kultur und die *gender*-Ordnung der grundherrlichen und patriarchalen Gemeinschaft charakteristisch sind. Die pars-pro-toto-Form teilen die abgelegten Fetisch-Objekte mit Reliquien. *Diese* sind Heils- und Wunderpartikel des Heiligen, *jene* sind Partikel von Personen und ihrer Gemeinschaft. Bei beidem geht es um stellvertretende Opfer, um einmal tranzendente, einmal innerweltliche Sekurität zu erzeugen. Goethe schildert also einen profanierten Sozial-Ritus als versteckt religiöses Ritual. Er trifft damit den Status des Religiösen in nachaufklärerischen, modernen Gesellschaften.

Die kommunitäre Form des Rituals unterläuft Eduard, der längst schon ein Besessener seiner Leidenschaft und insofern aus dem Gemeinschaftskörper ausgeschert ist. So fordert er Ottilie auf, ebenfalls etwas beizusteuern. »Sie löste darauf die goldne Kette vom Halse, an der das Bild ihres Vaters gehangen hatte, und legte sie mit leiser Hand über all die anderen Kleinode hin, worauf Eduard mit einiger Hast veranstaltete, daß der wohlgefugte Deckel sogleich aufgestürzt und eingekittet wurde.« (302)

Porträtmedaillon des Vaters und Goldkette Ottiliens

Das nun ist ein ausgemachter Symbol-Skandal. Er wird deutlich erst, wenn man ihn zurückbindet an die Ereignisse beim Mühlenspaziergang. Eduard und Ottilie hatten sich in die weglose Wildnis verloren und gerieten somit erstmalig mit ihrer vorzivilisatorischen, präsymbolischen Leidenschaft in Kontakt. Glücklich mit Ottilie zur Mühle gelangt, redet Eduard der jungen Frau aus, noch länger das »Bild des Vaters« (292) auf der Brust zu tragen. Eduard schützt vor, es könne sich ein »unvorhergesehener Stoß, ein Fall, eine Berührung« ereignen, so daß das metallische Medaillon die zarte Brust verletze. »Stoß«, »Fall« und »Berührung« aber sind längst eingetreten. Die platte Rationalisierung, die selbst Eduard, der sonst einigermaßen ungehemmt seinem Unbewußten Ausdruck verleiht, »übertrieben« vorkommt, camoufliert nichts weniger, als daß Eduard seine Leidenschaft vom Gesetz des Vaters behindert sieht und dieses außer Kraft setzen will. Carrie Asman hat überzeugend gezeigt, daß die verbreitete Praxis der Porträtmedaillons um 1800 fetischhafte Züge trug.[6] Das Medaillon des Vaters auf der Brust Ottiliens ist ein bannender Fetisch, der diese Vollwaise dem Gesetz des toten Vaters unterstellt. Eduard bewegt sie dazu, das Medaillon abzulegen, während er ihr zugleich einredet, sie könne »das Bild« ja am »heiligsten Ort (i)hrer Wohnung« (292) unterbringen. In dieser kaum getarnten Attacke auf die Vater-Instanz versucht er, die Liebe mit Ottilie aus der symbolischen Ordnung des Vaters auszuklinken und auf einer vorödipalen Ebene zu situieren.

Die versuchte Liquidation der Vater-Instanz hat dabei nichts mit ödipaler Rivalität zu tun. Sondern im Gegenteil soll der Vater verschwinden, um sich diesseits von Ödipus in ein narzißtisches Nirwana ohne Grenzen und Trennungen zu träumen. Diese, historisch gesehen, romantische Figur gilt, obwohl Eduard – als Ehemann Charlottes, die ihrerseits die Ersatz-Mutter von Ottilie ist – für diese eigentlich eine väterliche, fürsorgliche und desexualisierte Rolle übernehmen müßte. Er will aber weder Vater sein noch mit einem imaginären, toten Vater rivalisieren. Sondern der Vater, sowohl in seiner strukturellen Position wie in seiner dynamischen Funktion, soll verschwinden, um einen Raum für jene kurz zuvor in den Roman eingeführte »Richtung gegen das Unermeßliche« (291) zu öffnen. Das Entbundene, Grenzenlose, Unendliche, Maßlose, Ungetrennte, Vereinte wird bis zum Tod zum eigentlichen Charakteristikum von Eduard und Ottilie. Das macht ihre Liebe zu einem Feld, auf dem Goethe seine Auseinandersetzung mit der Romantik weitertreibt (was die Romantiker bei ihrer Lektüre des Romans ebenso wenig bemerkten wie der Großteil der späteren Forschung). Ja, mehr noch: die absolute Verschreibung ans Unendliche der Liebe erzeugt eine Dynamik hin auf den Tod, weil erst der Tod das in sich getrennte und differenzierte Lebendige aufhebt, ja, davon erlöst. Erst der Tod läßt die unendliche Alleinheit, wenigstens imaginär, zu. Darum ist der Liebestod von Ottilie und Eduard eine zwingende, doch nicht-menschliche Folge, die nicht zufällig von Goethe ins Zeichen einer romantischen und volkstümelnden Re-Katholisierung und der *mater coelestis* gerückt wird.[7] So muß das Unermeßliche und Eine vaterlos sein, denn es funktioniert primärprozeßhaft und narzißtisch. Dies ist der tiefere Grund dafür, daß der Vater fort muß von Ottiliens zartem Busen, den sie doch nur einmal »dem freien Himmel« zeigt, als sie nämlich das ertrunkene Wechselbalg im vergeblichen Wunsch, es zu reanimieren, an die Brust legt und dabei »ihren Busen bis ins innerste Herz« (457) verkältet, sich also den Tod holt.

Bei der Grundstein-Legung, die immerhin namens eines Grundherrn und Patriarchen begangen wird, setzt Eduard jenen gegenzauberischen Akt fort, durch den er Ottilie dem Fetisch des Vaters entwindet, indem nun auch noch die Kette des Medaillons in den Gemeinschafts-Fetisch des Grundsteins, diesen mißbrauchend, eingelegt wird: auf undenkbare Zeiten soll damit der Vater ferngehalten und machtlos sein.[8]

Was in der fetischistischen Manipulation mit Medaillon und Goldkette begann, soll mit dem Kelchglas seine Besiegelung finden. Denn dieses Glas ist »eins der Gläser, die für Eduarden in seiner Jugend verfertigt worden« waren und zeigt »die Buchstaben E und O in sehr zierlicher Verschlingung eingeschnitten«

(303). Hier nutzt Eduard einen weiteren Zu-Fall für einen Namenszauber: Eduard heißt bekanntlich auch Otto wie der Hauptmann, und hat diesem, um Verwechselungen auszuschließen, den Namen Otto überlassen.[9] So scheint das »O« auf dem Glas frei und unbesetzt. Gemäß seiner Absicht, die öffentliche Grundsteinlegung an *Charlottes* Geburtstag zu einem heimlichen Ritual seiner Vereinigung mit Ottilie umzucodieren, soll nunmehr das unbesetzte O an seinem Namensglas *Ottilie* stellvertreten und die ornamentale Verschlingung der Buchstaben soll zum Glücks-Emblem ihrer narzißtischen Symbiose werden, – gerade indem der Maurer, der ahnungslos als Priester der symbolischen Hochzeit von E und O agiert, das Glas zerschellen lassen soll.

Beklommen fragt sich der Leser, ob ein Segen über diesem Haus und seinen künftigen Bewohnern liegen kann, wenn zweifach das öffentliche Zunft-Ritual zu Zwecken eines privaten Fetischzaubers des Hausherrn zweckentfremdet wird. Der Leser mag sich weiter fragen, ob denn der private Glückszauber Eduards ›unter einem guten Zeichen‹ steht, wenn der Zufall es will, daß auch dieser Ritus nicht zu seinem Ziel findet, indem das Glas von einem dritten »als ein glückliches Zeichen« auf- und eingefangen wird. Tatsächlich ist weder dem Haus noch der Liebe Glück beschert, auch wenn beide, Haus und Liebe, unter einem zauberhaften Bann bleiben, doch nicht des Glücks, sondern des Unheils. So muß der Leser befürchten, daß das, was hier als Glückszauber, öffentlich oder heimlich, veranstaltet wird, sich unter der Hand, von niemand gewollt, zu einem Zeichen des Unheils verwandelt. Das wäre, inmitten dieser abergläubischen Veranstaltungen der Menschen, das Nicht-Menschliche.

Das Kelchglas als Fetisch

Eduard aber, der eingefleischteste Fetischist in diesem Roman, versteht es, die zufällige ›Ablenkung‹ des Glases aus der Bahn seiner physikalischen und semiotischen Bestimmung zu seinen

Gunsten auszulegen.[10] Viel später, in seinem ländlichen Exil, wo ihn Mittler besucht, um ihn von der Schwangerschaft Charlottes zu unterrichten, – da treffen wir auf einen Eduard, der fundamentalistisch an die Objektivität der Zeichen glaubt, die er doch in äußerster Willkür selber erst hervorgebracht hat: »Mein Schicksal und Ottiliens ist (sic!) nicht zu trennen, und wir werden nicht zugrunde gehen. Sehen Sie dieses Glas! Unsere Namenszüge sind dareingeschnitten. Ein fröhlich Jubelnder warf es in die Luft; niemand mehr sollte daraus trinken, auf dem felsigen Boden sollte es zerschellen; aber es ward aufgefangen. Um hohen Preis habe ich es wieder eingehandelt, und ich trinke nun täglich daraus, um mich täglich zu überzeugen, daß alle Verhältnisse unzerstörlich sind, die das Schicksal beschlossen hat.« (356)

Schwerlich ist diese Rede an semiotischer Willkür zu übertreffen. Sie zeigt eindrucksvoll, wie sehr jemand zum Opfer seiner eigenen fetischistischen Manipulationen werden kann. Der narzißtische Solipsismus Eduards weckt den Wahn, Herr über den semiotischen Prozeß selbst werden und ihn beliebig dirigieren zu können. Gerade diese idée fixe aber führt zum Gegenteil des Intendierten. Die selbsterzeugte Gewißheit, unter einem guten Schicksal zu stehen, treibt die Katastrophe an. Das magisch erzwungene Glück der unzerstörbaren Vereinigung mit Ottilie verbirgt den Mechanismus der Zerstörung und des Todes. Darin unterscheidet sich Eduard, der ausgerechnet von Ottilie des Alkoholismus bezichtigt wird (347), nicht von einem Drogen-Süchtigen. Tatsächlich agiert Eduard als Trunkener und Berauschter im Reich der Zeichen, dessen Souverän er zu sein wähnt. Was also geschieht? Ohne jeden Hiatus kann Eduard, der doch selbst das Glas als Zeichen seiner ewigen Liebe zu Ottilie zerschellen lassen wollte, den »Zufall« seiner Erhaltung umdeuten zu einem untrüglichen Zeichen der Unverbrüchlichkeit ihrer Beziehung. Ist es zuerst die Manipulation des Glas-Rituals, wo das *Zerschellen* keineswegs das eheliche Lusthaus konfirmieren, sondern den Schicksalsbund mit Ottilie besiegeln soll, so ist es dann, umgekehrt, der zufällige *Erhalt* des Glases, der zum Symbol des »Schicksals« stilisiert wird. »Um hohen Preis« kauft Eduard das Glas dem Fänger ab, für den tatsächlich der ›Zu-Fall‹ ein Glück war, nämlich Geldes wert. Indem Eduard *kauft*, was ihm doch als Kind *geschenkt* wurde, holt er das Glas, das der Zufall seiner semiotischen Willkür entwendete, in diese zurück zum Zweck neuer, diametral entgegengesetzter Bedeutungszuweisung. Das Glas, aus dem er *täglich* die Zeichen der untrennbaren Liebe in sich *hineintrinkt* – oral-narzißtischer kann man das Semiotische nicht darstellen –, wird für Eduard zum Fetisch in einer quasisakralen Zeremonie.

Man kann es dem aufklärerischen Ex-Geistlichen *Mittler*, der sich zum profanen Pastoraldienst an der *Vermittlung* der Menschen durch rigorose Affirmation der Ehe aufwirft, kaum verdenken, daß er Eduards Fetisch-Dienst entsetzt als »Aberglaube« (357) abtut – nicht anders als die christlichen Missionare, als sie auf den Fetischkult afrikanischer Stämme stießen.[11] Doch Mittler, in seinem fanatischen Institutionen-Rationalismus à la Hegel, ist selbst von abergläubischen Semiosen infiziert – so wenn er sich scheut, den Kirchhof zu betreten (254) oder wenn er dem Grafen und der Baronesse nicht begegnen kann, weil sie ihm »ein Unstern« sind, der »nichts als Unheil« bringe (306). Willkürliche Zeichenauslegung zu eigenen Gunsten ist ihm das »Schädlichste« und er mag die Orientierung von ›Zeichen‹ nur anerkennen, wenn man nicht nur das schmeichelnd Erwünschte, sondern auch »die warnenden Symptome« (357) erkennt. Doch gerade darin versagt niemand so peinlich wie Mittler selbst: weder bei der Taufe des Kindes nimmt er die Zeichen des Herzanfalls des alten Geistlichen wahr und redet so diesen zu Tode; noch erkennt er die Anzeichen des Unheils, als Ottilie seine donnernde Predigt über den Ehebruch anhören muß, was wiederum ihren Tod nahezu instantiell herbeiführt.[12] So zeigt der Aufklärer Mittler eine Position, die im Vollbewußtsein des

Wissens die Zeichen zu Prognosen zurechtmanipuliert, die sich sämtlich blamieren; oder der gar, in bester Absicht, Deutungen hervorbringt, die wie ein mächtiger Schadenszauber wirken und tödliches Unheil anrichten. Mittler hat als letzter ein Recht, die Fetisch-Praxis Eduards zu kritisieren. Jener, inmitten seiner vollmundigen Menschlichkeit, wirkt so unmenschlich, wie dieser, inmitten seines magischen Vertrauens aufs Übermenschliche, ungewollt dem Unheil den Boden bereitet, das alles Menschliche verschlingt. Derart gewinnt das Nicht-Menschliche über die Personen Macht.

»Sich selbst zum Zeichen machen«: ein fataler Versuch

Zu einem späteren Zeitpunkt, nach überstandenem Kriegszug, zurück am Ort seines ländlichen Idylls, im Gespräch mit dem Hauptmann, formuliert Eduard in einer Art Clairevoyance den »Wahn« seiner semiotischen Willkürakte: »So manche tröstliche Ahnung, so manches heitere Zeichen hatte mich in dem Glauben, in dem Wahn bestärkt, Ottilie könne die Meine werden. Ein Glas mit unserm Namenszug bezeichnet, bei der Grundsteinlegung in die Lüfte geworfen, ging nicht zu Trümmern; es ward aufgefangen und ist wieder in meinen Händen. ›So will ich denn mich selbst‹, rief ich mir zu, als ich an diesem einsamen Orte soviel verzweifelte Stunden verlebt hatte, ›mich selbst will ich an die Stelle des Glases zum Zeichen machen, ob unsre Verbindung möglich sei oder nicht. Ich gehe hin und suche den Tod, nicht als ein Rasender, sondern als einer, der zu leben hofft. Ottilie soll der Preis sein, um den ich kämpfe; sie soll es sein, die ich hinter jeder feindlichen Schlachtordnung, in jeder Verschanzung, in jeder belagerten Festung zu gewinnen, zu erobern hoffe. Ich will Wunder tun mit dem Wunsche, verschont zu bleiben, im Sinne, Ottilien zu gewinnen, nicht sie zu verlieren.‹« (447)

Dieses martiale Roulette steht wohl einzigartig in den preußisch-napoleonischen Kriegen da und ist allenfalls eines Kleists würdig. Und da Eduard lebt, ist der zwingende Schluß: »Ottilie ist mein«. Alles, was zwischen ihr und ihm stünde, sieht er »für nichts bedeutend« (447) an – selbst seinen Sohn, den der Hauptmann in dieses Schlachtfeld der Zeichen einführt und dem Wahn Eduards apotropäisch entgegenhält. Elternschaft, so Eduard, sei bloßer »Dünkel«. Wenn ein Glas ›an die Stelle‹ von Eduard und Ottilie treten und wiederum Eduard sich ›an die Stelle‹ des Glases setzen kann, dann wird alles mit allem vertauschbar: die Ziehtochter der Ehefrau soll zur Frau des Ehemannes, die Ehefrau wiederum zur Frau des gleichnamigen Freundes werden; der Freund soll Vater des Kindes werden, das ihm ohnehin ähnlich sieht. Und die Ziehtochter der Ehefrau soll als Frau des Ehemanns Ersatz schaffen für das tote leibliche Kind des Ehepaars. Als der dritte Otto, das Kind, gestorben ist, dekretiert der Tyrann der Zeichen ungerührt, daß durch »eine Fügung (...) jedes Hindernis an seinem Glück auf einmal beseitigt wäre« (461): ›beseitigt‹ sagt Eduard, als spräche er vom Unkraut in seinem Park oder einem mißglückten Schriftzeichen, das gelöscht werden muß.

Das dies nicht gelingen kann, hätte ihn schon die Episode mit dem Tintenklecks lehren sollen. Charlotte hatte versehentlich ihren eigenhändigen Zusatz zum Einladungsbrief Eduards an den Hauptmann »verunstaltet«: je mehr sie den Klecks »wegwischen« will, um so mehr vergrößert sie ihn, bis der niemals verlegene Deutungskünstler Eduard diese *Mißgeburt der Schrift* auf dem gemeinsamen Brief des Ehepaars flugs zurechtdeutet zu einem »Zeichen« der »Ungeduld«, womit der Hauptmann »erwartet werde« (257). Hier schon deutet sich die willkürliche semiotische Propf-Praxis Eduards an, der nicht umsonst eingeführt wird als hantierend mit Propfreisern, einer neumodischen Technik, die der alte Gärtner später kritisiert (350). Wie Eduard die Tradition der Park- und Gartenkultur nach Willkür außer Kraft setzt und damit gewachsene Formen zerstört (ähnlich macht es Charlotte mit dem Kirchhof), so hebelt Eduard auch die Regeln der Semiose aus, um an die Stelle der delikaten Verbindung (oder Bindung) von Signifikant und Signifikat eine neue herrschaftliche Instanz zu kreieren: die absolutistische Signifikation selbst, die er in Regie zu nehmen beansprucht wie Garten und Park.[13] Beides aber geschieht, was nicht ausgeführt zu werden braucht, im Schema dessen, was Goethe und Schiller als ästhetischen, literarischen, gärtnerischen und moralischen Dilettantismus entworfen hatten. Eduard ist von Beginn an bis in seinen Tod, den er schließlich als stümperhafte Nachahmung Ottiliens begreift, der geborene Dilettant. Aber doch ein radikaler.

Denn das ist wohl unerhört: daß Eduard nicht nur Zeichen willkürlich auslegt, sondern sich selbst zum Zeichen einsetzt in einem Krieg, der dadurch zu einer rigoros privaten Mischung von Experiment und Lotterie, von Versuch und Versuchung, von Hybris und Leidenschaft mutiert. Dies ist eine Profanierung des Gottesurteils in traditionalen Gesellschaften, für Goethe ebenso romantisch wie pathologisch. Es ist ein ›Versuch‹ Eduards, der zugleich eine ›Versuchung‹ ist, eine nicht mehr menschliche Überdehnung des Subjekt-Anspruchs und der Bedeutungsproduktion. Wenn der Roman, bereits im Titel, sich mit dem naturwissenschaftlichen Experiment verbindet; wenn der Autor selbst die Erzählung zu einer kühlen Abfolge von ›Essays‹ macht im Schema seiner Abhandlung »Der Versuch als Vermittler von Subjekt und Objekt«; wenn jeder Protagonist, selbst Ottilie, und selbstverständlich auch die Nebenfiguren wie Mittler, die Engländer, der Architekt, der Gehilfe, Luciane, der Graf und die Baronesse –; wenn also alle Figuren sowohl Versuchspersonen im Experimentalspiel des Erzählers wie selbst Experimentatoren sind, die ›Versuche‹ entwerfen und durchführen: dann ist trotz dieser Verwandtschaft aller Figuren Eduard doch der radikalste. Er setzt sich selbst »an die Stelle« des synekdochetischen Fetisches und kreiert damit eine ›unmögliche‹, man darf sagen, nicht mehr menschliche rhetorische Figur:

totum pro parte. Eduard ist der Experimentator, der sich *in toto* zur Versuchsperson macht, ein ebenso grandioser wie wahnsinniger Selbstversuch, eine Lotterie, worin er den eigenen Tod gegen Ottilie als Preis einsetzt.[14] Bereits im 1. Kapitel will Eduard die Frage, ob man den Hauptmann einladen solle, durch »Los« entscheiden. Dies veranlaßt Charlotte zu der Bemerkung, daß Eduard überhaupt »in zweifelhaften Fällen gerne« wettet und würfelt, was sie für »Frevel« hält (248). Diese ebenso infantile wie größenwahnsinnige Spielernatur wird im Zeichenexperiment des Krieges zum Nec plus Ultra getrieben: es ist eine heillose, im Effekt nicht-menschliche Variante der Ästhetik des Versuchs, die Goethe in und mit diesem Roman ausprobiert.[15]

Da Eduard im radikalsten aller denkbaren Zeichen-Versuche ›gewonnen‹ hat, so ist er im Feuer des Krieges zu einem gestählten Zeichen geworden, leibhafte und absolute Garantie der Zugehörigkeit Ottiliens zu ihm. Er hat sie beide im Labor des Krieges zusammengeschmiedet und darum ist, in unheimlicher Weise, fortan alles, was sie nicht selbst sind, »nichts bedeutend« (447). Gerade weil Eduard dieses eine, absolute Zeichen herausprozessiert hat – eine finale Form der Fusion von Zeichen und Bedeutung, von Fleisch und Geist –, so sind für ihn alle anderen gegeneinander tauschbar. In seinen Reden setzt er eine taumelnde Zirkulation und Vertauschung von Bedeutungen und Personen frei. Dies ist tatsächlich ein Effekt des Nicht-mehr-Menschlichen seiner semiotischen und hermeneutischen Operationen. In gewisser Hinsicht ist dies auch eine Parodie der Tausch-Logik, welche im chemischen Wahlverwandtschafts-Gleichnis angelegt ist, wenn dieses nicht selbst schon eine Parodie des Erzählers wäre oder wenigstens zu den »sehr ernsten Spielen« des Autors gehörte.

Denn was hier als Ergebnis naturwissenschaftlicher, mithin gesetzlicher Experimentallogik ausgestellt wird, ist mit einem anthropomorphisierenden Begriff belegt, der wiederum von den

Protagonisten mutwillig benutzt wird, um auf menschliche Verhältnisse rückübertagen zu werden (270–277). Hier bereits finden tropische Wendungen statt, bei denen Grenzen überschritten werden, welche die Bereitschaft erhöhen, sich der »Richtung gegen das Unermeßliche« (291) zu überlassen, als könne man dort noch auf irgendwelche Formen und Regeln vertrauen. Gewiß verhalten sich die Protagonisten experimentell, doch eher im Sinn eines Spiels willkürlicher Vertauschungen. Diese führen zu Konsequenzen, die in jedem einzelnen Fall, wie man zeigen kann, gerade *nicht* jener chemischen Ordnung entspricht, unter deren emblematische Überschrift der Roman wie die Protagonisten gestellt sind. Die »Gleichnisrede« (270) von den Wahlverwandtschaften spricht von geregeltem Tausch; während diese Rede selbst eine ungeregelte Vertauschung der Modalitäten von Zeichen und Bedeutungen ist, die im wahrsten Sinn die Figuren aufs Spiel setzt. Ein Spiel ohne Grenzen. Die experimentelle Semiotik findet nur eine Scheindeckung in den chemischen Wahlverwandtschaften. Die Protagonisten bedienen sich ihrer, um jedwedes Reale zum bloßen Substrat ihrer willkürlichen Zeichenoperationen zu machen. Niemals tritt ein, was das Gesetz der Wahlverwandtschaften erwarten läßt; wie auch niemals eintritt, was die Figuren im Vertrauen auf ihre Deutungen und Zeichenkunde zu erwarten sich berechtigt glauben.[16]

Grenzen des Fetischismus und der Zeichenwillkür im Tod

Diesem unlimitierten Spiel der Zeichen werden indes Grenzen gesetzt. Man erkennt, daß die Protagonisten ohne Bewußtsein Grenzen und Maße überschreiten, die sie dem nicht kalkulierbaren Nicht-Menschlichen aussetzen. Das wird am Ende des Romans erneut durch das Kelchglas demonstriert, dem ich mich, nach einem Umweg, abschließend erneut zuwende.

Nach dem Tod Ottiliens »lebte« Eduard »nur vor sich hin«, teilnahmslos, in einem Zustand narzißtischer Starre, hantierend höchstens mit den Fetischen und Reliquien – »das ihm von Otti- lien Übriggebliebene« (490) –, die er in einem »Kästchen«, wie in einem Reliquiar, untergebracht hat. In genauer Spiegelung korrespondiert das »Kästchen« dem »Koffer«, den – angefüllt mit weiblichen Preziosen der Mode und des Schmucks – Eduard einst Ottilien geschenkt hatte. In einem »verborgenen Fach« (480) im Kofferdeckel hat Ottilie alle Memorial-Fetische ihrer Liebe untergebracht, doch auch das Porträtmedaillon des Vaters. Sie verschließt das Geheimfach mit einem »zarten Schlüssel«, den sie »an dem goldnen Kettchen wieder um den Hals an ihre Brust hing« (480) – was nun wirklich ein semiotisches und ma- teriales Wunder ist, glaubt doch der Leser das Goldkettchen wohlverwahrt im Grundstein des Lusthauses. Koffer und Inhalt entsprechen genau dem Verhältnis von Reliquiar und Reliquie, von fetischistischer Figur und eingeschlossenem Geheimnis. Im Sinn von Krysztof Pomian sind der Koffer Ottiliens und das Kästchen Eduards Semiophoren, Gefäße von geheimnisvoll- heiliger Bedeutung.[17] Nichts anderes sind Fetische.

Im Bann ihrer Fetische agieren Ottilie und Eduard bis zuletzt. In stummer Symbiose bewegen sie sich durchs Schloß wie Automaten, die von einer außermenschlichen Kraft – eben jener oft zitierten »unbeschreiblichen, fast magischen Anziehungs- kraft« (478) – gesteuert werden: Sie sind zu subjektlosen Dar- stellern, zu programmierten Puppen ihres Unbewußten gewor- den, das niemals auf etwas anderes zielte als eine solche prä- symbolische Symbiose in völligem Gleichklang und Gleichge- wicht.

Die Grenzen, die der Erzähler hierbei markiert, fallen bei Ottilie und Eduard verschieden aus. Während Eduards Fetisch- Sammlung homogen zu sein scheint, gilt dies nicht für Ottilie. Inmitten der Reliquien ihrer Liebe verwahrt sie das Bild des Vaters. Hatte Eduard ihr seinerzeit eingeräumt, das Medaillon im »Andenken« oder am »heiligsten Ort (i)hrer Wohnung« (292) aufzubewahren, so hat sie dem Bild tatsächlich einen Platz im ›Allerheiligsten‹ gegeben. Das aber heißt, daß Eduards Absicht, mit dem Entfernen des Medaillons vom Busen Ottiliens zugleich das Gesetz des Vaters zu annihilieren, nicht rein aufgegangen ist. In der Anordnung der Fetische im Koffer stellt sich eine Ambivalenz Ottiliens dar, welche bis in ihren Tod nicht aufgelöst wird. So rückhaltlos, bis zum bewußtlosen Automatismus, sie sich der symbiotischen Fusion mit Eduard überläßt, so wenig gelingt die völlige Auslöschung ihrer moralischen Verpflichtungsgefühle, welche ihr – *au nom du père absent* – diese Liebe untersagen. Das mag mit dem Aufbewahren des Vater-Porträts unter all den Liebes-Fetischen im Geheimfach des Koffers angedeutet sein. Doch zwischen Medaillon und Liebes-Fetischen besteht ein unaufhebbarer Widerspruch, der Ottilie zu einem nicht-menschlichen Kompromiß zwang, man möchte sagen: zu einem absoluten Kompromiß, wenn es so etwas geben kann. Ihr theatrales Programm der Verheiligung; die verlockende wie unheimliche Mimikry der Mutter Maria im tableau vivant (402–5) und auf dem Weg des trappistischen »Ordensgelübdes« (477); das anorektische Auslöschen des Fleisches im Dienst einer immer reineren Spiritualisierung[18]; schließlich ihr Tod und ihre Resurrektion als wundertätige Heilige besonders für Mütter und Kinder; – all dies sind Stufen, über die die verleugnete symbolische Ordnung des Vaters reinstalliert wird. Sie vollzieht sich als Re-Katholisierung dieser jungen Frau in einem protestantischen Milieu, das auf Selbstverantwortung, Autonomie und De-Symbolisierung, also auf Ich-Werdung hinausläuft (solche Prinzipien vertritt der Gehilfe). Das Gesetz des Vaters wird reinstalliert gerade im Medium, in der Sprache und in religiösen Symbolen des Weiblichen.

Doch dies erfolgt nicht eindeutig. Denn der Akt der Verheiligung und des freiwilligen, die Schuld aller Beteiligten sühnenden Opfertodes ist zugleich ein Akt der Vereinigung *ad infinitum* mit dem verbotenen Objekt Eduard. Beigesetzt wird sie in einem Kleid, das sie zuletzt aus den herrlichen Stoffen geschneidert hatte, die im Koffer bewahrt wurden. Nanny hatte nicht zufällig dieses Kleid als »Brautschmuck, ganz Ihrer wert« (483) angesprochen: so wird die Beerdigung als himmlische Hochzeit mit Eduard in Szene gesetzt, keineswegs mit dem himmlischen Bräutigam Christus an der Seite des Gott-Patriarchen. Als Hochzeit inszeniert Eduard seinen eigenen Tod nach.

Ottilie stirbt an dem – im Goetheschen Wortsinn – ungeheuren, durch nichts zu tarierenden Widerspruch, der zwischen einer symbiotischen Leidenschaft, die sich ins Primärprozeßhafte, Fetischistische, Magische, mithin: ins Präsymbolische eingekapselt hat, und dem Gesetz des Vaters besteht, das weder an lebende noch tote Väter, noch überhaupt an Personen oder Institutionen gebunden sein muß. Sondern dieses Gesetz entwikkelt seine unbeugsame Macht als *ins Unbewußte versenktes Gewissen*. Dieser Widerspruch ist vielleicht mehr, als ein Mensch ertragen kann. Er zerreißt Ottilie im Unbewußten selbst. Darum zähle ich ihn zum Nicht-Menschlichen, dessen Opfer sie wird. Die anderen Deutungen, die der Erzähler halb großmütig halb ironisch zuläßt, um diesen unheimlichen Tod zu einem Zeichen zu machen, das man lesen und deuten kann, sind nur Camouflagen des Unsagbaren, Schrecklichen und Lächerlichen dieses Todes.

Auch Eduard wird vom Erzähler, ohne Mitleid, an die Grenzen seines semiotischen Absolutismus und seiner fetischistischen Willkür geführt. Mit Bedacht wählt der Erzähler dafür das Kelchglas, das wie nichts anderes eine magische Versicherung der Unzerstörbarkeit der Liebe sein sollte. Über den fastenden, Ottilie imitierenden Eduard berichtet der Erzähler im Präsens: »Nur noch einige Erquickung scheint er aus dem Glase zu schlürfen, das ihm freilich kein wahrhafter Prophet gewesen. Er betrachtet noch immer gern die verschlungenen Namenszüge, und sein ernstheiterer Blick dabei scheint anzudeuten, daß er auch jetzt noch auf Vereinigung hoffe.« (489) Es ist tatsächlich ein Schein, dem Eduard hingegeben ist, – wie überhaupt der

Erzähler auffallend häufig die figurenperspektivischen Deutungen durch das irrealisierende »es scheint« begrenzt. Hier nun stellt sich heraus, daß das Glas, aus dem Eduard seinen privaten Abendmahlswein schlürft, nicht mehr dasselbe ist, welches einst bei der Grundsteinlegung, so wunderbar gerettet, ihm zum Fetisch seiner Liebe wurde. Es zerbrach – und der Diener hatte ihm ein gleiches »untergeschoben«, was Eduard »eines Tages« »mit Entsetzen« an einem »kleinen Kennzeichen« bemerkt.[19] Es hat lange gedauert, bis das in die Luft geworfene Glas endlich doch auf der Erde zerschellt. Damit, glaubt Eduard, ist »sein Schicksal ausgesprochen« (489). Er stirbt Ottilie nach, nicht ohne sein Sterben, in einem hellen Augenblick, ebenso als Notwendigkeit wie als unauthentischen Dilettantismus zu demaskieren.

Damit ist auch getroffen, was der *fake* mit dem Kelchglas bedeutet. Der fetischistische Bann, in dem Eduard sein Glück gesichert wähnt, erfordert eine essentielle Verschmelzung von Ding und Bedeutung. Diese aber besteht niemals. Sie wird durch magische oder semiotische Prozeduren künstlich hergestellt. Sie trägt also genau die Spuren von Kontingenz und Arbitrarität, die das Zeichen auf keinen Fall aufweisen soll und doch immer zeigt. Eduards Leben ist eine großartige Verleugnung des Zufalls, den der Erzähler nicht nur gegen Eduard, sondern gegen alle Figuren ins Feld führt, als das Medium, durch welches sich die Willkür und Arbitrarität der hermeneutischen Akte, die sich so substantiell geben, enthüllt.[20] Bis in den Tod bleibt Eduard seiner Zeichenauffassung treu, die, philosophisch gesehen, essentialistisch ist; ethnologisch gesehen: fetischistisch; psychoanalytisch betrachtet: narzißtisch; religionsgeschichtlich gesehen: pagan und magisch; moralisch gesehen: egozentrisch.

Die Vertauschung des Glases machte solange nichts aus, als Eduard sie nicht bemerkte. Das heißt: der fetischistische Zeichengebrauch ist ein Placebo-Effekt. Er könnte Eduard darauf aufmerksam machen, daß alle Zeichen kontingent sind und es in ihnen selbst keinerlei sichere Verankerung des Sinns gibt. Zeichen dieser Art sind menschlich, allzumenschlich. Dies anzuerkennen, hätte Eduards Leben retten können. Doch er darf aus dem falschen Glas keine »Erquickung« mehr trinken: nur das authentische Glas bedeutet, was es ist, nur bei ihm fällt Sein und Bedeutung zusammen. Dieser Zeichenbegriff ist nichtmenschlich. Daß er rückhaltlos Besitz von Eduard ergriffen hat, macht die Katastrophe aus. Der *fake* mit dem falschen Glas tötet Eduard. So wie er im Krieg sich »an die Stelle« des Glases setzte und damit ein Spiel mit dem Tod provozierte, so ›bedeutet‹ nunmehr der ›Tod‹ des Glases seinen eigenen Tod. Für sein archaisch-magisches Bewußtsein gilt, daß der Tod *in effigie* ein wirklicher Tod ist. Eduard stirbt an einer Metapher, dem falschen heilen Glas. Das ist auch lächerlich. Seine Tragik indes ist, die ihn vielleicht doch zu einem »Kompatrioten« Ottiliens wenn zwar nicht im Himmelreich des Zeichen, so doch in der Prosa des Romans macht, – seine Tragik ist, daß er stirbt im Bewußtsein, daß nicht nur sein Tod, sondern das Leben, das jenen zur Konsequenz hat, eine Täuschung war, eine *fake*, ein substanzloses Dilettieren, ein gänzlich unauthentisches Dasein – eben weil es nichts anderes zum Ziel hatte als Authentizität und Substanz.

Anmerkungen

1 »Die Wahlverwandtschaften« werden durch Seitenangaben in Klammern zitiert nach der Hamburger Ausgabe Bd. VI. 10. Aufl. München 1981, S. 242–430.
2 Benjamin, Walter: Goethes Wahlverwandtschaften (1922). In: ders.: Gesammelte Schriften, hg. v. R. Tiedemann u. H. Schweppenhäuser. Frankfurt/M. 1980, Bd. I/1, S. 123–201. – Besonders scharfsinnig in den mythologischen Ausdeutungen, ohne das dekonstruktive Spiel Goethes mit dem Mythos zu durchschauen, ist Buschendorf, Bernhard: Goethes mythische Denkform. Zur Ikonographie der ›Wahlverwandtschaften‹; Frankfurt am Main 1986.

3   Mein Spielen mit Fallen und Zufall nimmt eine Romanstruktur auf, in welcher der Zufall als richtungsveränderndes Ereignis eine regieführende Rolle spielt und oft mit Fall, Fallen, Stürzen (doch auch mit dem Fall aller Fälle, dem Sündenfall) kombiniert wird. – Vgl. dazu Hammacher, Werner: Das Beben der Darstellung. In: Wellbery, David (Hg.): Positionen der Literaturwissenschaft. Acht Modellanalysen von Kleists »Das Erdbeben in Chili«. München 1985, S. 149–173. – Es gilt hier, auf Karl Philipp Conz und Johann Friedrich Ferdinand Delbrück hinzuweisen, die 1809/10 zu den ersten Rezensenten des Romans gehörten und, leider ohne Nachfolge, auf die außerordentliche Rolle des Zufalls hinwiesen. Conz, Lyriker und Repetent am Tübinger Stift, dort auch Lehrer Hölderlins, wies in Cotta's *Morgenblatt für die gebildeten Stände* (25.–28.12.1809) auf die wichtige Stelle in »Wilhelm Meisters Lehrjahre« hin, wo die Theatertruppe über Drama und Roman diskutiert und dem Zufall im Roman eine strukturelle Rolle zugesprochen wird, dem Schicksal aber für das Drama (HA VII, 307 ff.). Delbrück (in: *Jenaische Allgemeine Literatur-Zeitung* 18. u. 19.1.1809) referiert ebenfalls auf die Wilhelm-Meister-Stelle und analysiert ausführlich und scharfsinnig die bedeutende Funktion des Zufalls in den »Wahlverwandtschaften«. Beide Rezensionen in: Härtl, Heinz (Hg.): »Die Wahlverwandtschaften«. Eine Dokumentation der Wirkung von Goethes Roman 1808–1832; Berlin 1983, S. 90–99; 114–121.

4   Vgl. über Goethes Kenntnis und Verwendung von Fetisch und Idol. Vgl. Böhme, Hartmut: Fetisch und Idol. Die Temporalität von Erinnerungsformen in Goethes *Wilhelm Meister, Faust* und *Der Sammler und die Seinigen*. In: Matussek, Peter (Hg.): Goethe und die Verzeitlichung der Natur; München 1998, S. 178–201.

5   Meiners, Christoph: Allgemeine kritische Geschichte der Religionen; 2 Bde. Hannover 1806/07; darin: Geschichte des Fetischismus, Band 1, 2. Buch, S. 142–290, hier: S. 157/8.

6   Asman, Carrie L.: Zeichen, Zauber, Souvenir. Das Porträtmedaillon als Fetisch um 1800. In: Weimarer Beiträge 43 (1997), S. 6–16. – Vgl. auch von ders.: Kunstkammer als Kommunikationsspiel. Goethe inszeniert eine Sammlung. In: Johann Wolfgang Goethe: Der Sammler und die Seinigen, hg. v. Carrie Asman; Berlin 1997, S. 119–177. – C. Asman bereitet eine Habilitationsschrift vor, in welcher der Fetischismus in der Goethe-Zeit breiter dargestellt wird.

7   Auch dies ist als ironische Wendung gegen die katholisierende Romantik zu lesen, was wenigstens der umtriebige Karl August Böttiger in seiner Rezension (Zeitung für die elegante Welt, 23.1.1810) bemerkt hat, wenn er im Zusammenhang mit Ottiliens Verheiligung davon spricht, daß diese »mit einer verfehlten Tendenz gewisser fantastischer Kunstmenschen in Einklang ... steht« (in: Härtl, vgl. Anm. 3, S. 109).

8 Wie denn alle Väter in den »Wahlverwandtschaften« eigentümlich ent-mächtigt sind: der Vater Eduards, dessen Hinterlassenschaft nichts mehr gilt; der heimatlose, nomadische Engländer, dessen Sohn nach Indien ge-gangen ist und dessen heimliche Güter veröden. Zur Depotenzierung der Vater-Instanz gehört auch, daß für Eduard das Väterliche so gleichgültig ist, daß er sein eigenes Vater-Sein dem Hauptmann zum Tausch anbietet, zusammen mit einem Frauen-Tausch: zu solch kühnen Wendungen ist nur fähig, wer wie Eduard vor dem Ödipalen in eine primärprozeßhafte Stufe ausweicht. Diese läßt ein ständiges Gleiten und Vertauschen aller Posi-tionen und Signifikanten im Dienst des beherrschenden Begehrens zu.

9 Zum Namenspiel im Roman vgl. Oellers, Norbert: Warum eigentlich Edu-ard? Zur Namen-Wahl in Goethes »Wahlverwandschaften«. In: Genio Huius Loci. Dank an Leiva Petersen, hg. v. Kuhn, Dorothea/Zeller, Bern-hard, Köln 1982, S. 215–235. – Schlaffer, Heinz: Namen und Buchstaben in Goethes »Wahlverwandtschaften«. In: Bolz, Norbert W. (Hg.): Goethes Wahlverwandtschaften. Kritische Modelle und Diskursanalysen zum My-thos Literatur; Hildesheim 1981, S. 211–229 (letzterer mit scharfen Einsich-ten in die Irrläufereien der hermeneutischen Anstrengungen der Protagoni-sten).

10 Es ist nicht ohne Ironie (und zugleich ein hübsches Beispiel für die Karrie-re des Fuß- und Schuh-Fetischismus im 18. und 19. Jahrhundert), wenn Eduard durch den Grafen mit einer Geschichte der sexuellen Sitte der »Sarmaten«, den Schuh der Geliebten zu küssen und aus ihm auf ihre Gesundheit zu trinken, in eine erotische Stimmung versetzt wird – der Graf verbindet diese Geschichte mit einem Lob der erotischen Attraktion von Charlottens Fuß. Wenig später vollzieht sich jene verhängnisvolle ›Liebes-nacht‹, aus welcher das Kind mit den vier Eltern hervorgeht.

11 Zur kolonialen Vorgeschichte des Fetischismus vgl. u. a. Palme, Heide: Spiegelfetische im Kongoraum und ihre Beziehung zu christlichen Reli-quiaren; Wien 1977. – Was sind Fetische? Ausstellungskatalog hg. v. Mu-seum für Völkerkunde Frankfurt; Frankfurt am Main 1986.

12 Deswegen ist Mittler aber noch nicht ein Todesbote, gar Hermes, wie Heinz Schlaffer annimmt (Anm. 9).

13 Sozial gesehen stellt Eduard nicht eine Verbürgerlichung des Adels dar, sondern im Gegenteil läßt sich an ihm eine Art vorrevolutionärer, privater Absolutismus ablesen. Achim von Arnim, Kenner des Milieus, schreibt an Bettine Brentano am 5. November 1809: »Diese Langeweile des unbeschäf-tigten, unbethätigten Glückes, die Göthe in der ersten Hälfte des ersten Bandes so trefflich dargestellt hat, hat er mit viel Beobachtung in das Haus eines gebildeten Landedelmannes unserer Zeit einquartiert.« Es folgen weitere scharfe Beobachtungen des adligen Landlebens (in Härtl, vgl. Anm. 3, S. 70/71). August Wilhelm Rehberg spricht von Eduard als einem

»baronisierten Wilhelm Meister« (Allgemeine Literatur-Zeitung 1.1.1810, in Härtl, vgl. Anm. 3, S. 104).

14 Übrigens macht es Ottilie bei ihrem Vorsatz, eine Heilige zu werden, nicht anders: sie setzt sich, den Tod riskierend, einem Selbstversuch aus. Im Sinne der Diskussion über Drama und Roman im »Wilhelm Meister« sind beide Pathetiker. Sie inszenieren noch ihren Tod.

15 Zum Experimentalstil des Romans vor dem Hintergrund der Goetheschen Naturwissenschaft vgl. die einsichtige Studie von Thadden, Elisabeth von: Erzählen als Naturverhältnis – »Die Wahlverwandtschaften«. Zum Problem der Darstellbarkeit von Natur und Gesellschaft seit Goethes Plan eines »Roman über das Weltall«; München 1993.

16 Zum wissenschaftsgeschichtlichen Hintergrund der chemischen Gleichnisrede und ihrer Bedeutung im Roman ist immer noch am besten die gründliche Arbeit von Adler, Jeremy: »Eine fast magische Anziehungskraft«. Goethes »Wahlverwandtschaften« und die Chemie seiner Zeit; München 1987.

17 Pomian, Krzystof: Der Ursprung des Museums. Vom Sammeln. Berlin 1988.

18 Vgl. Hörisch, Jochen: »Die Himmelfahrt der bösen Lust« in Goethes »Wahlverwandtschaften«. Versuch über Ottiliens Anorexie. In: Bolz, Norbert W. (Hg.): Goethes Wahlverwandtschaften. Kritische Modelle und Diskursanalysen zum Mythos Literatur; Hildesheim 1981; S. 308–322.

19 Dieses ›Unterschieben‹ eines materialen Trägers unter eine phantasmatische Bedeutung – ein sehr typischer Vorgang für Eduard – findet eine Korrespondenz in dem umgekehrten ›Unterlegen‹, als welches ausgerechnet Eduard den allgemein-menschlichen Narzißmus kritisiert: »(...) aber der Mensch ist ein wahrer Narziß; er bespiegelt sich überall gern selbst, er legt sich als Folie der ganzen Welt unter.« (270). Hier wird das Schema einer Selbst-Bedeutung jedwedem Objekt unterlegt, ein für den Anthropomorphismus charakteristische Form. Auch dies macht Eduard des öfteren, der insofern seine früh geäußerte Einsicht ständig unterbietet.

20 Darin ist der Roman »Die Wahlverwandtschaften« wirklich der Nachfolger von »Wilhelm Meister«, der in der Geschichte des Romans zum ersten Mal den modernen Zufalls-Begriff entfaltet.

Bibliographie

Adler, J. (1987): »Eine fast magische Anziehungskraft«. Goethes »Wahlverwandtschaften« und die Chemie seiner Zeit. München.

Asman, C. L. (1997): Kunstkammer als Kommunikationsspiel. Goethe inszeniert eine Sammlung. In: Johann Wolfgang Goethe: Der Sammler und die Seinigen, hg. v. Carrie Asman. Berlin, S. 119–177.

Asman, C. L. (1997): Zeichen, Zauber, Souvenir. Das Porträtmedaillon als Fetisch um 1800. In: Weimarer Beiträge 43, S. 6–16.

Benjamin, W. (1922): Goethes Wahlverwandtschaften. In: ders: Gesammelte Schriften, hg. v. R. Tiedemann u. H. Schweppenhäuser. Frankfurt/M. 1980, Bd. I/1, S. 123–201.

Böhme, H. (1998): Fetisch und Idol. Die Temporalität von Erinnerungsformen in Goethes *Wilhelm Meister, Faust* und *Der Sammler und die Seinigen*. In: Matussek, P. (Hg.): Goethe und die Verzeitlichung der Natur. München 1998, S. 178–201.

Buschendorf, B. (1986): Goethes mythische Denkform. Zur Ikonographie der ›Wahlverwandtschaften‹. Frankfurt am Main.

Hammacher, W. (1985): Das Beben der Darstellung. In: Wellbery, David (Hg.): Positionen der Literaturwissenschaft. Acht Modellanalysen von Kleists »Das Erdbeben in Chili«. München, S. 149–173.

Härtl, H. (1983) (Hg.): »Die Wahlverwandtschaften«. Eine Dokumentation der Wirkung von Goethes Roman 1808–1832. Berlin, S. 90–99; 114–121.

Hörisch, J. (1981): »Die Himmelfahrt der bösen Lust« in Goethes »Wahlverwandtschaften«. Versuch über Ottiliens Anorexie. In: Bolz, N. W. (Hg.): Goethes Wahlverwandtschaften. Kritische Modelle und Diskursanalysen zum Mythos Literatur. Hildesheim, S. 308–322.

Meiners, C. (1806/07): Allgemeine kritische Geschichte der Religionen. 2 Bde. Hannover, darin: Geschichte des Fetischismus, Band 1, 2. Buch, S. 142–290, hier: S. 157/8.

Oellers, N. (1982): Warum eigentlich Eduard? Zur Namen-Wahl in Goethes »Wahlverwandtschaften«. In: Genio Huius Loci. Dank an Leiva Petersen, hg. v. Kuhn, D., Zeller, B., Köln, S. 215–235.

Palme, H. (1977): Spiegelfetische im Kongoraum und ihre Beziehung zu christlichen Reliquiaren. Wien.

Pomian, K. (1988): Der Ursprung des Museums. Vom Sammeln. Berlin.

Schlaffer, H. (1981): Namen und Buchstaben in Goethes »Wahlverwandtschaften«. In: Bolz, N. W. (Hg.): Goethes Wahlverwandtschaften. Kritische Modelle und Diskursanalysen zum Mythos Literatur. Hildesheim, S. 211–229.

Thadden, E. von (1993): Erzählen als Naturverhältnis – »Die Wahlverwandtschaften«. Zum Problem der Darstellbarkeit von Natur und Gesellschaft seit Goethes Plan eines »Roman über das Weltall«. München.

Was sind Fetische? Ausstellungskatalog hg. v. Museum für Völkerkunde Frankfurt. Frankfurt am Main 1986.

Zu den Autorinnen und Autoren

Hermann Beland, Psychoanalytiker in Privatpraxis, Lehranalytiker am Berliner Psychoanalytischen Institut. 1988-90 Vorsitzender der Deutschen Psychoanalytischen Vereinigung. Zahlreiche Veröffentlichungen zur Theorie und Technik der Psychoanalyse, zur Gesellschaft, zum Antisemitismus, zur Literatur.

Hartmut Böhme, Dr. phil., Professor für Kulturtheorie und Mentalitätsgeschichte an der Humboldt-Universität zu Berlin. Buchveröffentlichungen (Auswahl): Natur und Subjekt. Versuche zur Geschichte der Verdrängung (1988); Hubert Fichte. Riten des Autors und Leben der Literatur (1992); Albrecht Dürer: Melencolia I (³1993), Feuer Wasser Erde Luft. Eine Kulturgeschichte der Elemente (zus. mit G. Böhme) (1996). Hrsg. von Sammelbänden. Zahlreiche Aufsätze zur Literaturgeschichte des 18.–20. Jahrhunderts, zur Ethnopoesie und Autobiographik, zur Naturgeschichte, zur Historischen Anthropologie.

Klaus Heinrich, Dr. phil., ordentl. Professor em. für Religionswissenschaft auf religionsphilosophischer Grundlage an der Freien Universität Berlin. Buchveröffentlichungen (Auswahl): Versuch über die Schwierigkeit nein zu sagen (1964); Parmenides und Jona. Vier Studien über das Verhältnis von Philosophie und Mythologie (1966); »Dahlemer Vorlesungen«: tertium datur. Eine religionsphilosophische Einführung in die Logik (1981); anthropomorphe. Zum Problem des Anthropomorphismus in der Religionsphilosophie (1986); arbeiten mit ödipus. Begriff der Verdrängung in der Religionswissenschaft (1993); Floß der Medusa. Drei Studien zur Faszinationsgeschichte (1995); Reden und kleine Schriften 1: anfangen mit freud (1997); 2: der gesellschaft ein bewußtsein ihrer selbst zu geben (1998).

Inge Stephan, Dr. phil., Professorin an der Humboldt-Universität zu Berlin (Lehrstuhl: Geschlechterproblematik im literarischen Prozeß). Buchveröffentlichungen (zuletzt): Das Schicksal der begabten Frau (1989); Die Gründerinnen der Psychoanalyse (1992); Musen und Medusen. Mythos und Geschlecht in der Literatur des 20. Jahrhunderts (1997). Hrsg. und Mithrsg. von Sammelbänden. Zahlreiche Aufsätze zur Literatur des 18. bis 20. Jahrhunderts, zur Sozial- und Kulturgeschichte der Literatur, zur Frauenliteratur, zur feministischen Literaturwissenschaft und zur Genderforschung.

Titelgestaltung

Ruth Tesmar, Dr. phil., Professorin für Künstlerisch-Ästhetische Praxis an der Humboldt-Universität zu Berlin. Zahlreiche Einzelausstellungen. Viele Preise und Auszeichnungen.

Herausgeberin

Gisela Greve, Dr. med., Psychoanalytikerin in freier Praxis; Lehranalytikerin der Deutschen Psychoanalytischen Vereinigung am Berliner Karl-Abraham-Institut. Veröffentlichungen: Kunstbefragung (Hrsg.) (1996). Psychoanalytische Interpretationen von Werken der Literatur und der bildenden Kunst.